J

Jacques Choqu
d'État et professeur de yoga-relaxation. Il inter-
vient régulièrement en tant que formateur pour
divers organismes : clubs, associations, jeunesse
et sports, hôpitaux... Auteur de nombreux guides
pratiques, dont certains sont traduits dans différents pays, il est également le cofondateur de
l'IFSYR (Institut de formation en sophrologie,
yoga, relaxation).

ABC
de la
relaxation

POCKET *Évolution*

Des livres pour vous faciliter la vie !

Dans la collection ABC :

Carleen BINET
ABC de la morphopsychologie

Jacques Choque
ABC de la relaxation

Valérie GAUTIER
ABC de la généalogie

Marie-Françoise LEMOINE
ABC du yoga

Éric et Christiane MAIZIERRE
ABC des élixirs floraux

Dr Thierry TELPHON
ABC des huiles essentielles

Jacques Choque

ABC
de la
relaxation

GRANCHER

Sommaire

Qu'est-ce que la santé ?

« La santé est avant tout un état d'harmonie à l'intérieur entre les différentes instances qui composent l'être humain, son "moi" intellectuel et son "moi" spirituel, ainsi qu'entre l'être humain et son environnement. La santé requiert une lucidité, un état de conscience toujours plus aigu. Ainsi, cette harmonie libère l'énergie nécessaire à la vie et au maintien de la santé. Atteindre à cette harmonie, à cet état de santé globale ou "holistique" nécessite une aptitude à la communication, un accès à l'information, une possibilité de vivre et d'exprimer ses sentiments, de rechercher une signification à sa vie. »

Rosette Poletti

« La santé est un état de complet bien-être physique, mental et social et ne consiste pas seulement en une absence de maladie ou d'infirmité.

La possession du meilleur état de santé qu'il est capable d'atteindre constitue l'un des droits fondamentaux de tout être humain, quelles que soient sa race, sa religion, ses opinions politiques, sa condition économique et sociale.

La santé de tous les peuples est une condition fondamentale de la paix du monde et de la sécurité, elle dépend de la coopération la plus étroite des individus et des États. »

(Définition de l'Organisation Mondiale de la Santé.)

« La capacité de faire face, en maintenant le plus grand degré possible d'autonomie et de capacité d'agir, à toutes les situations qui tendraient par elles-mêmes à affaiblir son potentiel et son dynamisme de vie. »

P. Vesrpieren

« Une aptitude à affronter de façon autonome la douleur, la mort, la maladie comme partie intégrante de l'expérience de chaque individu. »

I. Illitch

« Résulte d'une proportion harmonieuse entre les forces qui résistent à la mort. »

Brunetière

« L'aptitude à équilibrer ses conditions de vie par rapport à ses ressources défensives et à développer ces dernières en fonction de situations à affronter. »

P. Sivadon

« La santé, c'est la marge que nous accordons aux infidélités du milieu. »

Anguilhem

«La santé n'est pas l'utopique absence de maladie mais l'aptitude à exercer les fonctions requises par un milieu donné. Et comme ce milieu ne cesse d'évoluer, la santé est un processus d'adaptation continuelle aux innombrables microbes, irritants, tensions et problèmes auxquels l'homme doit faire face chaque jour.

C'est un état changeant et dynamique qui rend tous les hommes aptes à utiliser tout leur potentiel physique et mental et permet de rendre leur vie riche et créative.»

R. Dubos

«C'est un état dynamique dans le cycle de vie d'un organisme qui implique une adaptation continuelle aux stress de l'environnement interne et externe. Cette adaptation se fait par une utilisation optimale des ressources en vue d'atteindre le potentiel maximal d'un individu dans sa vie quotidienne.

Elle est en relation avec la façon dont un individu fait face aux stress imposés par la croissance et le développement, tout en fonctionnant à l'intérieur d'une culture dans laquelle il est né et à laquelle il essaie de se confronter.»

Imogène King

En guise d'introduction

Dans la vie quotidienne, qu'elles soient familiales ou professionnelles, les occasions d'être tendu ne manquent pas. Les conditions de la vie moderne, en particulier les nouveaux rythmes de vie, engendrent, chez beaucoup d'individus, une fatigue anormale, un état constant d'énervement, d'anxiété. Le stress n'apparaît plus comme une agression ponctuelle, facilement identifiable et pouvant devenir alors un facteur positif. En effet, dans ce cas, l'être humain doit donner une réponse et ainsi s'adapter à la nouvelle situation. Non, aujourd'hui les stress sont multiples, insidieux, sournois, alors que dans un même temps les individus deviennent de plus en plus fragiles.

Malgré une relative prospérité, des progrès techniques, scientifiques, extraordinaires, des millions d'êtres humains ont de plus en plus de mal à faire face aux exigences de la vie. Alors, face à cette situation, l'emploi de tranquillisants, de somnifères, de pilules contre la migraine, ne cesse d'augmenter. Or ces produits (que nous pouvons appeler drogues dans la mesure où l'on ne peut s'en passer) ne soulagent que temporairement et, lorsque leurs effets s'estompent, les problèmes resurgissent souvent d'une façon accrue. Ce processus est un véritable cercle vicieux qui ne fait que diminuer progressivement la résistance de l'organisme, affaiblit le système nerveux et parfois peut conduire au surmenage, voire à l'épuisement. L'individu est alors «usé», «à bout», «au bout du rouleau», il «craque». Les expressions ne manquent pas pour caractériser cet état dans lequel la personne ne peut plus faire face. C'est alors souvent la porte ouverte à bon nombre de maladies dites psychosomatiques telles que par exemple les ulcères gastriques, certains troubles cutanés (brusque poussée d'eczéma, démangeaisons sans cause...), de nombreux problèmes coronariens (tachycardie, infarctus...).

Quelles peuvent être les solutions ?

Les disciplines, les méthodes ne manquent pas ! De A comme Aikido à Y comme Yoga, les «pratiques anti-stress» foisonnent sur le marché : Sophrologie, Stretching, Tai-chi-chuan, Zen, Training autogène, Gym douce...

Non seulement toutes ces techniques sont bien codifiées, mais elles tendent toutes à une meilleure régulation du tonus, à un parfait équilibre psychosomatique. Elles prennent en compte la globalité de la personne, cherchent à l'unifier, l'obligent à être vigilante sur les positions de son corps, et surtout donnent à l'adepte les moyens d'une prise de conscience aiguë de son espace intérieur et de la relation qu'il entretient avec les autres, l'environnement, l'univers.

Parmi toutes les méthodes proposées, la relaxation est un moyen extrêmement efficace pour réduire les tensions, qu'elles soient d'ordre physique ou mental. Mais elle n'offre pas que ces avantages. Ses effets sont extrêmement nombreux et nous les décrirons dans cet ouvrage.

L'intérêt de la relaxation réside également dans le fait qu'il s'agit d'une technique assez simple (bien qu'il existe, nous le verrons, des techniques très élaborées), pouvant être adaptée à n'importe qui (athlète de haut niveau, enfant, femme enceinte, personne âgée...), et pouvant être vécue pratiquement en tout lieu et en toute circonstance.

Grâce à cet ouvrage, nous souhaitons donc donner aux lecteurs des moyens pratiques, efficaces, afin de pouvoir s'installer à volonté dans un état de calme, de paix absolue. Dans cet état c'est un monde fantastique, riche qui surgit, dans lequel la conscience devient plus lucide, plus aiguë.

Ce voyage au plus profond de soi-même est à la portée de tous : pour s'aventurer sur ce chemin absolument sans danger, au carrefour du somatique et du psychique, il suffit d'un tout petit peu de volonté, d'un zeste de courage ainsi que d'un minimum d'organisation du temps.

Pourquoi, alors, ne pas tenter l'expérience tout de suite ?

Chapitre I

Propos sur la relaxation

A – Qu'est-ce que la relaxation?

Lorsqu'une personne passe en jugement, au tribunal, elle peut être coupable ou relaxée, c'est-à-dire qu'elle retrouve sa liberté. Il en va de même avec la relaxation : nous nous libérons des tensions, tant musculaires que psychiques, qui se sont accumulées en nous au cours des années. Nos peurs, nos soucis, nos conflits, nos stress s'impriment dans notre corps, notre chair, notre inconscient et forment ce que W. Reich appelait : « une cuirasse caractérielle ». Cette espèce de carapace nous emprisonne petit à petit et les innombrables contractures qui la composent dépensent un maximum d'énergie, tels de véritables parasites se nourrissant aux dépens de notre organisme.

Si nous n'y prenons pas garde, il se crée, jour après jour, une véritable camisole de force qui empêche tout geste harmonieux, toute liberté de mouvement, d'expression, de créativité. La spontanéité, la joie de vivre restent enfouies. Les tensions peuvent aussi tellement s'accumuler qu'un jour nous « éclatons », telle une

«Cocotte-Minute», et nous nous retrouvons hors de nous-mêmes.

Grâce à la relaxation, non seulement ces risques s'amenuisent mais l'état de relaxation est aussi la porte d'entrée idéale pour observer et même créer des états de conscience inhabituels.

La relaxation est donc une véritable méthode (art ou science) qui, en phase d'initiation, apprend au sujet à maîtriser, à volonté, l'abaissement de son tonus. Grâce à des techniques très codifiées, l'objectif est de rendre automatique l'adaptation de la vigilance au niveau réel des difficultés à affronter. Il s'agit en fait d'un véritable reconditionnement positif.

Le sujet, après avoir pris conscience de ses réactions inadéquates, cherche non seulement à les éliminer, mais aussi à les remplacer par d'autres, plus compatibles avec la nature des situations rencontrées. Ce nouveau conditionnement se construit sans dépendance par rapport au moniteur (ce qui n'est pas le cas, par exemple, dans l'hypnose).

Cependant, pour affiner cette tentative de définition, il convient de donner quelques éclaircissements sur certains mots qui ont été employés, en particulier le tonus, la vigilance, le conscient et l'inconscient. *« Le tonus*, écrit François Lhermitte[1], *qui est une tension permanente de la musculature, permet le bon déroulement de l'acte moteur, en assurant la statique de l'ensemble du corps et en adaptant son positionnement en fonction de la nature de l'activité motrice à accomplir. Il se syn-*

---

1. *La pathologie médicale. Système nerveux et muscles* (éd. Flammarion, Paris, 1973).

chronise avec le niveau de vigilance du cerveau, afin de réaliser, dans les plus courts délais et dans les meilleures conditions possibles, un mode d'expression précis et efficace. Enfin, le tonus musculaire sous-tend, en permanence, le geste dans ses différentes phases : démarrage, déroulement et maintien des attitudes. » Et André Van Lysebeth d'ajouter[1] : « *Normalement, chez l'être vivant libre de toutes tensions psychiques, au repos, à l'état de veille, tous les muscles sont en état de tonus et lorsqu'un mouvement est exigé par la volonté, les muscles nécessaires se tendent plus ou moins selon l'effort demandé. Cet état, très normal évidemment, va d'une contraction légère, pour soulever un bras par exemple, à la contraction maximale réalisée par les champions olympiques haltérophiles. Dès que le mouvement, qu'il soit léger ou puissant, est terminé, le muscle revient à l'état de tonus. À tout moment de la journée, nous passons donc des centaines de fois par minute par cet état fluctuant entre le tonus et la contraction musculaire.*

De l'autre côté de la ligne de démarcation, il y a décontraction volontaire d'un muscle ou d'un groupe de muscles. Alors que la contraction est naturelle et innée chez tout le monde et chez tous les êtres vivants dotés d'un système nerveux et de muscles, il en va déjà autrement pour la décontraction volontaire, en dessous du tonus. Cela doit se commander ! »

La vigilance est un niveau d'activation qui apparaît dès le réveil. Dans une journée chaque personne connaît différentes phases : de la veille attentive au sommeil pro-

---

1. Revue *Yoga*, n° 166, page 19.

fond, en passant par divers états de présence plus ou moins importants selon la capacité d'attention et le degré de motivation.

Pendant l'état de veille, le conscient prédomine. Mais si l'esprit est comparé à un iceberg ce conscient n'est que la toute petite partie visible. Dans la partie immergée, l'inconscient, se trouvent toutes nos expériences passées, nos désirs instinctifs, nos complexes, nos inhibitions. C'est aussi le siège de l'intuition, de la créativité et du passé commun à toute la race humaine dont quelques éléments apparaissent dans l'expression des symboles, des mythes et des rêves.

Or, pendant l'état de relaxation, nous pouvons observer tout ce qui est emmagasiné dans ce véritable entrepôt qu'est l'inconscient, puis, grâce à un entraînement approprié, y induire des images, des pensées choisies pour leur capacité à créer de la joie, de l'efficacité, de la production d'énergie. L'habitude de devenir un observateur de ces véritables films va permettre, progressivement, de ne plus s'y identifier et même d'être capable d'écrire ses propres scénarios. C'est ce que nous vous proposons de découvrir et, surtout, d'expérimenter, grâce aux exercices décrits dans cet ouvrage.

B – LES DIFFÉRENTES MÉTHODES DE RELAXATION

1. Le training autogène de Schultz

Né en 1884, J.H. Schultz, après des études à Breslau (Allemagne), devient médecin puis, à partir de 1919, professeur de neurologie et de psychiatrie. Attiré par la psychanalyse et l'hypnose, il souhaite cependant abandonner ces voies qui nécessitent la présence d'un thérapeute et créent une relation de dépendance.

Très tôt, à partir de 1908, il met donc au point les premières bases de sa méthode qu'il fera découvrir au grand public, grâce à son ouvrage *Le Training autogène*, qu'il définit lui-même ainsi : « *un entraînement à une discipline personnelle qui permet à tout instant, et sans l'aide d'un médecin, de maîtriser sa pensée et ses fonctions corporelles. Il s'agit d'un entraînement dont les résultats dépendent de la persévérance dans l'exercice et, par conséquent, de la volonté de s'équilibrer pour retrouver une parfaite harmonie*[1] ».

Le training autogène est donc une méthode de relaxation qui part de l'observation suivante : tout état de fatigue ou d'anxiété s'accompagne (et produit) de contractions musculaires. Car si l'on peut obtenir une déconnexion générale de l'organisme, si on laisse le corps se détendre, les symptômes tendent à disparaître. Cette méthode, grâce à un ensemble d'exercices très précis, permet d'acquérir progressivement la détente, de supprimer les tensions inutiles, par « le dedans » (contrairement par exemple aux massages dont l'action est exogène). Schultz nous propose donc des exercices qui nous donnent les moyens de développer une harmonie psychosomatique (équilibre physique et prise de conscience de nos problèmes psychologiques). Nous devenons ainsi plus maîtres de nous-mêmes, plus lucides, plus efficaces et pouvons même résoudre des dysfonctionnements énergétiques tels que migraines,

---

1. *Le training autogène,* J.H. Schultz (P.U.F., Paris, 1977).

extrémités froides (doigts, orteils...), insomnies. De plus, parallèlement à cette autodécontraction, nous pouvons augmenter notre pouvoir de concentration et, petit à petit, explorer puis maîtriser nos différentes fonctions mentales.

Comme beaucoup de techniques de relaxation, certaines conditions sont nécessaires pour aborder au mieux les séances : pièce calme, lumière tamisée, chaleur suffisante pour favoriser la décontraction, vêtements amples et yeux fermés facilitant le laisser-aller et l'intériorisation.

Selon les possibilités (moment, lieu), trois positions sont possibles :

- la position assise avec un maximum de confort,
- la position dite «en cocher de fiacre», assis sur un tabouret, les coudes et les avant-bras sont appuyés sur les cuisses, le dos est rond et la nuque relâchée,
- la position allongée sur le dos avec des coussins ou couvertures placés, si besoin, sous les creux poplités, sous la nuque, sous les cuisses ou les avant-bras.

Une fois la position choisie, le sujet laisse pénétrer en lui la première formule : «Je suis calme... tout à fait calme... », afin d'être disponible pour la suite de la séance.

Le training autogène se compose de deux cycles dits «inférieurs» et «supérieurs».

Le premier comporte six exercices :

a. **L'expérimentation de la pesanteur :** le sujet doit répéter 5 à 6 fois la formule «mon bras droit (ou le gauche pour un gaucher) est lourd». Puis le sujet continue le cheminement corporel : «mes deux bras sont lourds», «mes deux jambes sont lourdes», communiquant ainsi cette sensation de pesanteur dans tout le corps.

b. **L'expérimentation de la chaleur**: après avoir vécu l'expérience du relâchement et de la sensation de pesanteur, le sujet, grâce au phénomène de la vasodilatation, prend conscience de la chaleur dans le même ordre de progression suivie par l'expérience précédente. En fait, la nouvelle formule «mon bras droit (ou gauche) est chaud», «mes deux bras sont...», est plus un constat qu'une induction puisque l'action de la concentration mentale régule le flux sanguin grâce à l'influence du système nerveux.

Le sujet expérimenté est maintenant capable d'une «autodécontraction concentrative» selon les termes de Schultz et, à la fin de la progression, les sensations peuvent être globalisées grâce à une seule formule: «Je suis calme, tout à fait calme..., mes bras et mes jambes sont lourds..., mes bras et mes jambes sont chauds, tout à fait chauds..., mes bras et mes jambes sont lourds et chauds, tout à fait lourds, tout à fait chauds...».

c. **La régulation cardiaque**: le sujet prend conscience des battements rythmiques du cœur et répète la formule: «mon cœur bat calmement et correctement». Cette possibilité de régulation est capitale car chacun a pu constater le lien étroit entre une émotion et le changement de rythme et d'intensité des battements cardiaques.

d. **Exercice respiratoire**: le sujet s'abandonne au va-et-vient de sa respiration automatique et répète, sur chaque respiration, la formule: «ma respiration est tout à fait calme, je suis toute ma respiration».

e. Perception de sensation au niveau de l'abdomen: en posant la main entre le nombril et l'appendice xiphoïde, le sujet essaie de ressentir dans cette région une intense chaleur, tout en formulant la suggestion: « mon plexus solaire est chaud, tout à fait chaud ». L'objectif est de faire irradier cette chaleur dans tout l'abdomen.

f. Exercice de perception de la fraîcheur du front: le sujet essaie de percevoir une fraîcheur frontale en se répétant mentalement: « mon front est frais, agréablement frais... ».

Ce dernier exercice du cycle inférieur permet d'isoler la tête du phénomène de vasodilatation qui s'est produit dans tout le corps. Non seulement le sujet garde ainsi « la tête froide » (maîtrise émotionnelle), mais il évite aussi d'éventuelles céphalées.

Quant à la reprise, elle doit se réaliser grâce à une succession d'étapes bien déterminées, processus appris dès les premières séances: mouvements des bras, puis des membres inférieurs et ensuite de tout le corps: deux ou trois respirations profondes avant d'ouvrir les yeux.

Enfin le sujet, ayant retrouvé un état de tonicité normale, laisse exprimer le langage naturel de son corps: soupirs, bâillements, étirements.

Quant au cycle supérieur, deux conditions sont nécessaires pour y accéder:
- que le cycle inférieur soit parfaitement maîtrisé,
- que le sujet soit suivi par un psychothérapeute, de façon à vivre une analyse approfondie.

Dix étapes successives sont proposées:

1. Intensification du processus de concentration grâce à la convergence du regard vers le centre du front.
2. Découverte de sa couleur propre en en laissant surgir une dans son esprit.
3. Représentation de plusieurs couleurs pour développer une sensibilité perceptive.
4. Représentation d'objets courants.
5. Vision d'objets «abstraits»: se représenter mentalement des concepts (justice, bonheur, éternité, amour...).
6. L'élaboration de la représentation d'un état de conscience que le sujet désire atteindre.
7. Un sujet imagine une personne puis essaie de la juger.
8. Le sujet se juge lui-même.
9. Interrogation de l'inconscient.
10. Mise au point de suggestions positives permettant d'améliorer son avenir.

Ainsi le training autogène, méthode structurée, rigoureuse, progressive, permet d'avoir une action sur bien des plans: l'amélioration de la concentration, de la mémoire, des capacités d'apprentissage, facilitation de la récupération d'un sommeil bienfaisant, diminution immédiate d'un état de tension excessif, d'une émotion perturbatrice.

2. La relaxation progressive de Jacobson

Edmond Jacobson, médecin et thérapeute, a toute sa vie eu une démarche scientifique, souhaitant que sa méthode se distingue du yoga ou de l'hypnose. Elle vise à fournir une prise de conscience au niveau de chaque segment du corps, des différences entre les sensations de tension et de détente. La personne ainsi concentrée sur son propre corps observe les points précis de tensions musculaires. Au fur et à mesure de l'apprentissage, le sujet est donc capable, en éliminant les tensions musculaires, de faire face au stress naissant de situations difficiles car, pour Jacobson, tout stress s'accompagne de contractions musculaires.

L'une des premières observations de Jacobson fut que plus le sujet est tendu nerveusement, ou raide musculairement, plus il sursaute au moindre signal sonore inattendu. Au contraire, un sujet en état de relaxation a une réaction au bruit amoindrie. La méthode de Jacobson consiste donc essentiellement à entreprendre une action sur l'hypertonicité neuromusculaire ; celle-ci se produisant même lors de la création d'images mentales. Ainsi, la seule représentation d'une situation crée un état de tension.

Concrètement, cette relaxation doit être menée dans les mêmes conditions que celles nécessaires à la pratique du training autogène : un endroit calme, une température agréable et une position corporelle de confort (allongé sur le dos, bras légèrement en oblique par rapport au tronc). Cette méthode nécessite un entraînement quotidien et deux niveaux sont accessibles. Cette relaxation dite progressive comprend trois étapes :

a. **Reconnaissance et identification d'une contraction puis du relâchement musculaire correspondant.** Cette prise de conscience s'effectue dans toutes les parties du corps, y compris les yeux et les muscles phonateurs car *« pour diminuer l'activité mentale, il* *faut parvenir à une relaxation progressive et poussée des muscles des yeux et de l'appareil phonateur[1] ».*

b. **Relâchement de certains muscles alors que d'autres sont en activité** mais avec le minimum de tension nécessaire à l'accomplissement de la tâche à effectuer.

c. **Prise de conscience à tout moment de la vie quotidienne de toutes tensions musculaires liées à un trouble affectif ou émotionnel.** Le sujet détend alors les muscles concernés et une répercussion positive se fait aussitôt sentir sur le mental.

Ainsi cette relaxation progressive s'appuie-t-elle uniquement sur une démarche d'observations objectives concernant le lien entre le tonus musculaire, les émotions et l'activité mentale. Cette méthode ne fait appel à aucune suggestion ; les phénomènes qui apparaissent sont facilement contrôlables et les résultats sont pratiquement immédiats. Toute personne peut donc trouver dans cette méthode un moyen rapide et efficace d'économiser son énergie.

3. La sophrologie[2]

C'est en 1960 que le professeur Caycedo crée la Sophrologie. Médecin spécialisé en psychiatrie, après dix années passées au Japon, en Inde et au Tibet, il met au point une méthode qu'il définit lui-même comme étant *« la science qui étudie la conscience, ses modifications et*

---

1. *Savoir relaxer pour combattre le stress*, E. Jacobson (Éditions de l'Homme, Montréal, 1980).
2. Des écoles différentes existent dans cette discipline. Nous présentons donc ici une synthèse.

*les moyens physiques, chimiques ou psychologiques pou-
vant la modifier dans un but thérapeutique, prophylac-
tique ou pédagogique »*. Caycedo souhaite également,
comme Schultz et Jacobson, que sa méthode relève d'une
démarche scientifique (vérification des hypothèses de travail avant une quelconque application) et qu'elle soit
dépouillée de toute connotation mystique.

Le terme *Sophrologie* est dérivé du grec *Sôs*, pouvant
être traduit par « harmonie », de *Phrên* signifiant
conscience et de *Logos*, étude.

La sophrologie est donc la « science de l'esprit serein
appliquée à la conscience humaine ».

Pour parvenir à ces objectifs, cette science a créé ses
propres outils (sophronisation, relaxation dynamique),
mais elle intègre aussi d'autres techniques visant à équilibrer le psychosomatique.

En fait, elle se veut la synthèse à la fois des
recherches les plus modernes et des traditions les plus
anciennes afin d'offrir une méthode adaptée à notre culture, notre société.

Pour mieux comprendre cette méthode, quelques
termes sont à connaître qui éclairent déjà, à eux seuls, la
démarche choisie et les objectifs visés.

Petit glossaire sophrologique :

– **Sophronisation :**
  méthode par laquelle on entraîne le sujet à atteindre le
  niveau sophroliminal.
– **Niveau sophroliminal :**
  c'est l'état de conscience se situant entre le niveau de
  veille et celui du sommeil.

- **Activité intra-sophrologique :**
  structuration d'un ensemble de phénomènes perçus avec une grande acuité par la conscience grâce à un entraînement méthodique.

- **Désophronisation :**
  reprise très progressive d'un niveau de vigilance et d'un tonus musculaire nécessaires à l'activité à venir.

- **Alliance :**
  relation établie et acceptée réciproquement entre le sophrologue et le sujet.

- **Sophro-acceptation progressive :**
  visualisation d'une situation positive afin de créer des conditions optimales de réussite pour une action future.

- **Sophro-respiration synchronique :**
  attention portée sur la respiration doublée de la répétition d'une formule permettant un apaisement.

- **Protection sophroliminale du sommeil :**
  visualisation positive des moments précédant le coucher, la phase d'endormissement, son sommeil, son réveil puis sophro-respiration synchronique.

- **Terpnos logos :**
  guidage de la séance par le sophrologue qui se réalise en utilisant une voix monocorde.

Concrètement, une séance de sophrologie se structure autour de trois grands principes :
- l'approfondissement du schéma corporel, comme d'ailleurs le proposent toutes les autres méthodes,
- l'imprégnation du psychisme de données positives,
- la prise en compte « de l'ici et maintenant ».

La sophrologie nous offre donc des clefs pour faire émerger nos potentialités, renforcer la confiance en soi, favoriser l'harmonie entre le corps et le mental et notre capacité d'enthousiasme dans le futur. Cette méthode nous fait prendre conscience que la première grande adaptation à faire est celle que nous devons réaliser avec nous-même ; c'est-à-dire gommer au maximum les dysfonctionnements entre le somatique et le psychique. Cette harmonie ne pourra que faciliter l'adaptation aux autres ; c'est-à-dire à l'environnement familial, professionnel ou socio-économique.

4. L'eutonie de Gerda Alexander

C'est en 1957 que Gerda Alexander crée l'eutonie. Ce mot provient du grec *Eu* qui signifie juste et *Tonos* qui a donné les termes : tonus, tension.

L'eutonie, d'après Gerda Alexander, est donc *« un état de tonicité harmonieusement équilibrée, en adaptation constante, en juste rapport avec la situation à vivre »*. Cette recherche d'un état d'équilibre dans les mouvements, à travers l'unité de la personne, sans troubler les fonctions vitales, va exactement dans le sens d'une meilleure relaxation telle qu'elle est proposée dans notre ouvrage.

L'idée de base de cette méthode est qu'il faut offrir à la personne la possibilité de mieux vivre des expériences qui lui permettent de prendre conscience de ses possibilités et de ses limites. Ces dernières sont en rapport elles-mêmes avec des automatismes qu'il est nécessaire de dépasser, afin de parvenir à *« une nouvelle attitude devant les êtres et devant la vie*[1] *»*.

---

1. *Le corps retrouvé par l'eutonie,* G. Alexander (Éd. Tchou, Paris, 1980).

La manière d'être de chacun, au repos ou en action, est donc en rapport étroit avec la variabilité de son tonus, celui-ci pouvant passer de l'hyper à l'hypo-activité. Non seulement l'eutonie propose de mettre en tension les muscles d'une façon juste en rapport avec l'action en cours, mais elle donne aussi les moyens d'observer le corps lorsqu'il est en activité.

Ainsi, nous adoptons des attitudes, nous effectuons des mouvements plus corrects avec une économie d'énergie, une aisance, une grâce.

D'un point de vue pratique, comment se déroule une séance d'eutonie ?

Notre propos étant de faire découvrir aux lecteurs quelques méthodes de relaxation, nous ne pouvons prétendre en quelques lignes présenter toute la richesse et l'originalité de l'eutonie, ni du point de vue du contenu, ni dans la façon de «l'enseigner», ni dans celle de former des «eutonistes».

C'est pourquoi nous présentons les grands principes de la méthode et exposons les principaux exercices qui s'insèrent dans une démarche pédagogique progressive et extrêmement cohérente.

Les trois principes fondamentaux de l'eutonie sont :
– le développement de la conscience du corps,
– les positions de contrôle,
– le mouvement.

LE DÉVELOPPEMENT DE LA CONSCIENCE DU CORPS

Il s'agit de faire un «inventaire», c'est-à-dire d'observer comment nous percevons l'image de notre corps, et de répertorier les habitudes nuisibles à un bon équilibre du tonus.

Cette conscience corporelle se réalise grâce à l'expérimentation de quelques exercices, dont la technique des contacts : allongé sur le dos, nous devons observer les points du corps en contact avec le sol (talons, mollets, fesses, dos...). Mais ces contacts (c'est-à-dire « aller-vers ») peuvent se faire entre deux régions du corps du sujet (main-ventre), entre le sujet et un objet (main ou dos-balle), entre le sujet et un autre sujet, et entre le sujet et l'espace environnant.

LES POSITIONS DE CONTRÔLE

Gerda Alexander en définit douze qui permettent de tester les possibilités de relâchement des muscles, d'augmenter leur souplesse et de faire disparaître des douleurs locales. Cette sorte de bilan nécessite de s'installer dans une position test (dans la position du tailleur, par exemple) et, tout en s'intériorisant, de défaire les crispations, les tensions observées.

LE MOUVEMENT

Il est à la base de l'eutonie puisque cette méthode recherche la plus grande liberté, la plus grande aisance possible, quel que soit le mouvement. Ce peut être l'étirement spontané, le bâillement jusqu'aux gestes sportifs ou professionnels. L'important étant de percevoir son corps avant le mouvement et de se représenter ce mouvement ; puis d'observer son corps pendant le mouvement en contrôlant la vitesse afin qu'elle soit uniforme.

Ainsi l'eutonie est non seulement une méthode de relaxation, mais aussi une discipline d'expression corporelle. Elle recherche constamment à favoriser la conscience globale du corps et incite le sujet à chercher la meilleure façon de réagir face à n'importe quelle situation. C'est une méthode qui s'adresse à toute personne souhaitant devenir plus libre, plus autonome et désireuse de rester en contact permanent avec son espace intérieur, riche de sensations, toujours original et sans limites.

5. Le yoga nidra

En préambule, et par honnêteté intellectuelle, nous pouvons affirmer que toutes les méthodes décrites précédemment (et en particulier la sophrologie) ont été créées par des personnes ayant pratiqué le yoga ou ayant eu connaissance de cette discipline grâce à des ouvrages ou des comptes-rendus médicaux (les recherches scientifiques de Thérèse Brosse[1], par exemple). Plus de 4 000 ans d'expérience transmise de génération en génération, de guru (ou gourou : guide spirituel, celui qui fait passer de l'ombre à la lumière) à disciple, nous ont laissé un héritage fabuleux de techniques, de principes qui nous permettent d'atteindre des états de conscience insoupçonnés.

Les Occidentaux ont toujours voulu garder « un esprit scientifique » face à la tradition du yoga, mais plus les recherches avancent (biologie, neurologie, psychologie...), plus on s'aperçoit du bien-fondé des « révélations » faites par les lectures de textes anciens. Car on oublie trop souvent que la démarche scientifique n'est pas l'apanage des seuls chercheurs occidentaux modernes. Les techniques, les recommandations, que ce

---

1. *La conscience énergie* (Éditions Présence).

soit en yoga ou en zen (voir les chapitres correspondants), sont ultra-précises et les différentes étapes à suivre très clairement définies.

Le yoga nidra n'échappe pas à cette règle de précision, d'exigence et de rigueur. Cette méthode est une véritable science de l'être, une technologie des états de conscience mise au point par un grand maître indien : Swami Satyananda, aussi brillant dans la connaissance des textes traditionnels du yoga que dans celle de la philosophie ou de la neurophysiologie. Yogi, chercheur et médecin, ce Guru moderne nous offre la possibilité, grâce à la méthode présentée dans son ouvrage[1], non seulement de nous relaxer totalement mais aussi de développer notre conscience et d'élargir nos potentialités latentes (cependant, dans ce chapitre, nous ne présentons le yoga nidra qu'en tant que méthode de relaxation ; les personnes souhaitant découvrir le yoga nidra dans son ensemble devant se reporter à l'ouvrage précédemment cité).

Le yoga nidra se pratique dans la position « savasana », c'est-à-dire allongé sur le dos, les bras légèrement en oblique par rapport au tronc, en utilisant couverture et coussins pour un meilleur confort. Les conditions requises pour une pratique optimale sont les mêmes que celles citées pour les autres méthodes (calme, lumière tamisée, température agréable...).

Les meilleurs moments sont tôt le matin et le soir avant le coucher. L'idéal est de s'installer en yoga nidra après une séance de yoga. Il est demandé également de

---

1. *Yoga nidra*, S. Satyananda (Éditions Satyanandashram, Paris, 1980).

pratiquer avec un professeur qualifié ou, quand cela n'est pas possible, de pratiquer avec une cassette. Quant à la durée de la pratique, elle est très variable selon le temps dont on dispose et le niveau d'avancement atteint.

Le yoga nidra se compose de 5 niveaux, classés par ordre croissant de possibilité d'intériorisation, de perceptions intimes ou de visualisations. 4 éléments essentiels interviennent dans le déroulement d'une séance : la rotation de la conscience, la prise de conscience du souffle, le développement des sensations, la visualisation (d'histoires, d'images).

LA ROTATION DE LA CONSCIENCE

Avant d'entamer cette démarche, il est proposé au pratiquant une prise de conscience du corps, afin de mieux se préparer aux différents exercices. Le moniteur fait ensuite évoluer la conscience à travers les différentes parties du corps plusieurs fois, d'une façon rapide et rythmée. *« Par rotation de la conscience, nous entendons ceci : on demande au mental de penser à ses centres[1] pendant un temps et dans une séquence ordonnée telle que doigts, paume, poignet, coude, épaule, etc., et l'on procède de la même manière en suivant différents circuits bien définis tels que l'appareil digestif, l'appareil respiratoire et les structures du squelette. C'est comme un petit train qui se déplace sur tout un réseau de chemin de fer. »*

---

1. Par « centre », l'auteur entend des parties du corps bien définies telles que doigts, genoux, paumes...

LA PRISE DE CONSCIENCE DU SOUFFLE

Le sujet ne force pas sa respiration, ne cherche pas à la modifier mais se contente uniquement de l'observer. Le mental est ainsi davantage introverti et le champ de conscience beaucoup plus restreint.

LE DÉVELOPPEMENT DES SENSATIONS

La pratique se poursuit en amenant le sujet à prendre conscience de différentes situations (légèreté, chaleur), ou en réactivant progressivement certaines émotions passées.

LA VISUALISATION

L'instructeur utilise des images et des pensées afin de faire surgir le contenu du subconscient du sujet, qui les observe alors en spectateur. Une fois bien entraîné, le pratiquant peut proposer à son subconscient des suggestions, afin de remodeler positivement sa structure mentale. Cet ordre direct donné au psychisme s'appelle Sankalpa et a été rebaptisé quelque quarante siècles plus tard par Schultz : « Les dix étapes du cycle supérieur », et par Ceyrado : « Sophro-acceptation progressive » ! (les termes ont changé, les approches sont parfois différentes mais les objectifs restent similaires : prendre en main son destin, supprimer les « nuisances » qui empêchent l'être humain de se réaliser).

Cette sorte d'« écologie intérieure » peut donc être menée d'une façon rationnelle et systématique avec, comme conséquence, un double avantage : un état de relaxation rapidement amené et une meilleure connaissance de cette sorte d'iceberg qui nous habite, appelé « inconscient », lieu de tous nos désirs, de toutes nos tensions, de toutes nos souffrances.

6. Le Zen

«Il y a vingt-cinq siècles, en Inde, non loin du Gange, un homme médite, assis sous un figuier... Complètement immobile, tranquille, comme une montagne... Il est devenu Bouddha, ce qui signifie, en sanskrit, "l'éveillé"... Puis il décide de consacrer toute son existence terrestre à la transmission du secret. Ce secret, le voici : commencer par s'asseoir. Dans la posture du Bouddha. Concentré sur la tenue du corps et la respiration. La voie est d'une simplicité confondante. Seulement s'asseoir[1].»

Telle est l'origine du Zen qui signifie «méditation sans but, concentration». Ce mot est dérivé du sanskrit Dhyana qui a donné Tch'an en chinois puis Zen en japonais.

La pratique du Zen consiste donc simplement à s'asseoir, sans but, sans esprit de profit, dans une posture et se concentrer sur la respiration. Bien que le Zen ne puisse être enfermé dans un concept, ni compris par la pensée, car il s'agit avant tout d'une pratique, nous allons tenter d'exposer les grands principes qui soustendent cette discipline.

LA POSTURE

Assis au centre d'un coussin rond (*zafu*), dans la position du lotus (ou demi-lotus ou jambes croisées en cas d'impossibilité), le pratiquant installe son dos bien droit en poussant «la terre» avec les genoux et «le ciel» avec le sommet du crâne. Une fois en position, le menton

---

1. *La pratique du zen* T. Deshimaru (Éditions Albin Michel), page 16.

bien rentré, on pose la main gauche dans la main droite, paumes vers le ciel, contre l'abdomen, les pouces en contact par leur extrémité, maintenus horizontalement grâce à une légère tension. Le regard se pose de lui-même à environ un mètre de distance, les yeux étant mi-clos.

LA RESPIRATION

Elle n'est comparable à aucune autre. En effet, l'adepte se concentre sur chaque expiration qu'il rend douce, lente, profonde, silencieuse. Mais de plus il exerce une puissante «poussée» sur les intestins.

LA POSTURE DEBOUT EN MARCHE (KIN HIN)

La colonne vertébrale est bien droite, le menton ren-tré, la nuque est tendue, le regard est posé à environ trois mètres du sol : le pouce gauche est serré dans le poing gauche, posé sur le plexus solaire. Ce poing gauche est enveloppé dans la main droite, les deux mains étant for-tement serrées ensemble contre le sternum pendant l'ex-piration. L'adepte se concentre alors sur la marche, rythmée, lente, faisant coïncider la pose d'un pied sur le sol avec l'expiration.

LE SILENCE

Le yoga et le Zen, avec des techniques différentes, cherchent à retrouver le silence intérieur qui est notre nature profonde.

L'ÉTAT D'ESPRIT

Le vrai Zen, comme nous l'avons déjà dit précédem-ment, se pratique sans motivation, sans but et sans même rechercher « l'éveil » (Satori en japonais, Samadhi en sanskrit). Nous devenons réceptifs, extrêmement attentifs et nous pouvons dire que nous « pensons avec le corps », c'est-à-dire que toutes nos cellules sont imprégnées de calme, d'harmonie, d'équilibre. Les dualités, les contradictions sont dépassées et cela sans user d'énergie.

« L'ICI ET MAINTENANT »

Le Zen enseigne que nous devons être pleinement attentifs à l'action présente, au moindre fait et geste de la vie quotidienne.

Mais peut-on concilier une vie professionnelle et la pratique du Zen?

La réponse du maître Deshimaru est à ce sujet très claire : *« C'est précisément parce que notre vie est agitée que la pratique du Zen lui fera le plus grand bien. Vous ferez beaucoup mieux ce que vous avez à faire parce que vous serez concentré et puis, vous vous délesterez peut-être d'une foule de choses inutiles. Vous verrez votre vie quotidienne d'un œil nouveau[1]. »*

Enfin et surtout c'est le « lâcher prise » qui est une des caractéristiques fondamentales du Zen. Très proche de la notion de relaxation, le « lâcher prise » s'adresse autant au « véhicule corporel » qu'au mental. En effet, la contraction est un phénomène naturel, mais pas la crispation. La vigilance dans tous nos actes quotidiens doit entraîner des gestes simples, épurés, libres, spontanés, ne créant ni tension ni fatigue. Quant au mental, il est

---

1. *Ibid.*, page 58.

invité à s'installer dans une attention soutenue, une disponibilité active. Les pensées ne vagabondent plus tels des singes ivres ou des chevaux indisciplinés, ne favorisant plus ainsi une dépense inutile d'énergie.

7. Les massages

La tradition du massage est extrêmement ancienne et nous la retrouvons dans pratiquement tous les pays du monde, sous des appellations diverses.

Utilisée dans une optique de relaxation, la pratique des massages est extrêmement simple, facile à apprendre et à transmettre. Elle peut faire l'objet d'une pratique quotidienne, familiale (par contre, quand il est réalisé dans un but thérapeutique, le massage nécessite une formation solide et rigoureuse).

Grâce à différentes manœuvres (effleurages, frictions, pétrissages, pressions, vibrations...), un opérateur va, région par région, centimètre par centimètre, dénouer les tensions, les nœuds du sujet qu'il traite. Celui-ci, très rapidement, va sentir une détente, puis il entrera dans un état de relaxation, de paix intérieure. Cependant, il est possible de se masser tout seul, grâce par exemple à la technique du DO-IN (voir le chapitre « Se relaxer grâce aux massages »).

(Le lecteur intéressé par ces techniques pourra également se reporter à notre précédent ouvrage : *Yoga à deux et massages relaxants*.)

8. Le tai-chi-chuan

Plus qu'une simple gymnastique, le tai-chi-chuan est un véritable art de vivre et de mieux-être. Cette discipline énergétique douce est une véritable méditation, une relaxation en mouvement, une danse au ralenti. Dans cet art, on compare l'homme à un arbre, au tronc droit et solide, aux racines profondes (les pieds) et aux branches étendues (les bras). Les uns et les autres, flexibles et souples, bougent en tous sens mais restent toujours unis au tronc stable et vertical.

Plusieurs siècles avant Jésus-Christ, les disciples du philosophe chinois Lao Tseu (fondateur du « taoïsme ») pratiquèrent des techniques d'assouplissement imitant certaines postures animales. Il semblerait que ce jeu des animaux soit l'ancêtre lointain de toutes les disciplines de combat à mains nues et du tai-chi-chuan.

Une légende attribue la paternité de cet « art de l'action suprême » à un moine taoïste du XIIIe siècle : Chang San Fong (« les maîtres des trois pics »). Il aurait été inspiré par la tactique défensive en mouvements lents et circulaires d'un serpent attaqué par les harcèlements continus et désordonnés d'un oiseau. Il aurait vu dans ce combat la symbolisation de la force et de la faiblesse, de la concentration et de la dispersion de l'énergie, de l'ombre et de la lumière ; en fait, les deux forces positives et négatives de la vie (Yin et Yang).

Pratiquée par les Chinois tous les jours, cette technique de « longue vie » fait aujourd'hui partie du code de santé en Chine et attire, depuis quelques années, de plus en plus d'Occidentaux.

Le tai-chi-chuan donne la priorité à la pensée et non à la force grâce à des mouvements effectués dans la concentration, la coordination, la détente, et accordés à une respiration abdominale profonde. Ils se déroulent sans interruption ni discontinuité, le corps et l'esprit étant sollicités dans toutes les directions et dimensions à la fois. La succession de figures vise à rétablir l'harmonie entre l'homme et l'univers et à débloquer les nœuds qui empêchent la libre circulation de l'énergie vitale.

Cette «boxe avec soi-même» (*chuan* signifie «poing») ne demande pas de force spéciale et ne présente pas de difficultés techniques particulières : excepté peut-être la nécessité d'une bonne mémorisation (mais qui se développe avec la pratique).

Le tai-chi-chuan se compose, selon les différents auteurs, de 80 à 110 séquences = mouvements de terre, d'homme et de ciel. L'enchaînement de 85 séquences (École officielle de Pékin) dure de 15 à 20 minutes et est imprégné d'une très grande poésie : «la grue blanche déploie ses ailes», puis «les mains se mouvant comme les nuages», «le tigre dans la montagne»...

Grâce à la lenteur des mouvements, le tai-chi-chuan n'accélère jamais le rythme cardiaque mais, par contre, il régularise et améliore la circulation sanguine. Il accélère les réflexes, améliore la mémoire, dénoue les articulations. Il permet surtout de contrôler son énergie, sa concentration et supprime l'irritabilité, l'impatience. Il favorise également la relation à l'autre (tout en pouvant devenir, en cas d'attaque, un remarquable art d'autodéfense, sachant retourner la force de l'adversaire contre lui-même).

C – LES CONDITIONS PRÉALABLES
POUR UNE PRATIQUE EFFICACE

Généralement, lorsqu'une séance de relaxation est bien menée, les effets sont pratiquement immédiats. Cette efficacité peut être cependant renforcée grâce à l'observation de quelques règles, du reste assez simples et souvent dictées par le bon sens.

1. Le lieu

Il doit avoir été bien aéré, tant pour ne pas être incommodé par des odeurs désagréables que pour ne pas avoir à respirer un air vicié. De l'encens peut être utilisé à condition, bien évidemment, que vous en supportiez l'odeur, mais aussi qu'elle vous procure une sensation agréable, qu'elle entraîne un état de paix, de calme, de bien-être. Ce lieu peut être une pièce chez soi, réservée à la pratique de la relaxation ou à d'autres disciplines favorisant le « recentrage », la prise de conscience, le bien-être. Mais ce peut être tout simplement aussi un coin de salon ou la chambre. Pour la pratique en salle, celle-ci ne devra pas être trop vaste et surtout elle devra être silencieuse, calme, reposante.

La température de la pièce devra être réglée de façon à procurer une détente musculaire en position de relaxation. Cependant, on n'hésitera pas à augmenter le chauffage car le corps se refroidit, en fin de séance. Si on ne peut le faire, il suffit de se couvrir avec une couverture ou de se blottir douillettement dans un sac de couchage !

2. Le moment

L'idéal est de pratiquer tôt le matin juste après un programme quotidien, même court, d'étirements (yoga, stretching, gym douce...). La colonne vertébrale est bien assouplie, les éventuelles tensions sont supprimées et le corps est alors prêt à se laisser aller à suivre une relaxation, dans une optique de recharge énergétique.

Cependant, durant la journée, il est aussi conseillé de se relaxer le plus souvent possible (voir le chapitre : « Se relaxer dans la vie quotidienne »).

Quant à la relaxation le soir, avant de s'endormir, elle ne doit être pratiquée que si vous vous endormez facilement et si vous êtes bien entraîné à la relaxation. En effet, dans le cas contraire, vous seriez obligé de bien vous concentrer et votre mental, trop sollicité, vous empêcherait alors de goûter un sommeil réparateur.

3. La tenue

Globalement, elle doit être souple, confortable et permettre une grande liberté de mouvements. Le survêtement ou le pyjama sont des tenues idéales mais vous pouvez cependant utiliser vos vêtements habituels si vous vous y sentez à l'aise. Dans ce cas, vous desserrez la ceinture du pantalon, le col de la chemise et la cravate, si vous pouvez vous relaxer quelques instants à votre bureau. Après une activité physique et sportive, vous ôterez vos chaussures afin que vos pieds ne soient pas comprimés.

4. La durée

Elle varie en fonction du temps dont vous disposez et de votre niveau d'entraînement. Sachez qu'en très peu de temps, 5 à 6 minutes, vous serez capable de vous relaxer complètement, en profondeur. À l'opposé, vous pouvez vous installer dans une position de relaxation pour un long moment, une heure ou une heure et demie (voir « exemple de relaxation »). Dans ce cas, il se produira un changement d'état de conscience et vous devrez prévoir de retrouver « la conscience ordinaire » grâce à une transition douce, en allongeant votre respiration et en vous étirant.

5. L'hygiène alimentaire

Par rapport à notre mode de vie, globalement caractérisé par la sédentarité, il est évident que nous mangeons trop, souvent trop vite, et très mal ! Peu de personnes ont une réelle éducation en diététique alors qu'il est aujourd'hui prouvé qu'une mauvaise alimentation est l'une des causes majeures de la plupart de nos maux : hypertension, constipation, calculs vésiculaires, certains cancers... Une nourriture trop raffinée, trop de sucre, trop de viande : des « trop » qui peuvent créer un état de stress permanent, perturbant le bon équilibre psychosomatique.

Vous ne devez pas cependant changer brutalement votre style d'alimentation. Quant aux régimes draconiens, ils sont totalement inutiles : tout régime trop astreignant est, à plus ou moins long terme, créateur de tensions, de frustrations donc de stress !

Notre propos ne portera donc pas sur le régime alimentaire (bravo à la personne qui trouvera « le » régime !), mais les conditions dans lesquelles les repas sont pris.

Généralement, nous « avalons » nos repas beaucoup trop rapidement. Prenons-nous vraiment le temps, le midi, par exemple, de nous installer confortablement à table dans le but de nous recharger et de nous détendre ? Vous connaissez bien sûr la réponse ; elle est, dans la majorité des cas, négative. Pour lutter contre cette tendance, essayez d'être vigilant(e) sur :

- **La mastication :** qu'elle soit lente, complète, afin de favoriser votre digestion. En faisant attention à cet acte et en le prolongeant, vous affinerez votre sens du goût et redécouvrirez, peut-être, le plaisir de manger des choses simples mais qui ont une saveur vraie. Vous deviendrez ainsi de plus en plus exigeant non par mode, ou par snobisme, mais tout simplement parce que vos petites éminences plus ou moins saillantes qui s'élèvent à la surface d'une muqueuse (ou si vous préférez, vos « papilles » !) auront la possibilité de faire correctement leur travail.

- **L'acte de se nourrir :** la radio, la télévision, des conversations bruyantes forment aujourd'hui l'environnement de nos repas pris à la hâte. Or il faut savoir que l'acte alimentaire lui-même nécessite une dépense d'énergie ! Si donc nous ajoutons, en plus, une dépense d'énergie due à une trop grande sollicitation du système nerveux, il n'est pas étonnant que l'on sorte de table encore plus fatigué ! Le calme, la détente sont des conditions capitales pour répondre correctement aux besoins du métabolisme de base.

- **Le placement du corps :** en particulier la position du dos qui doit être bien droit, sans tension, afin de placer correctement les organes participant à la digestion. Vous pouvez en faire l'expérience tout de suite : placez le tranchant de la main entre le plexus et le nombril après avoir étiré votre colonne vertébrale. Puis, maintenant, laissez votre dos s'affaisser : vous venez de localiser « une barre à l'estomac » !

Après chaque repas, consacrez ne serait-ce que 1 ou 2 minutes à vous installer dans une position de relaxation décrite dans cet ouvrage et à coup sûr vous ne pourrez que favoriser votre digestion. Il suffit, par exemple, en restant assis sur sa chaise, le dos droit, de respirer calmement, en favorisant la respiration abdominale. (Plus tard, avec de l'entraînement, vous pourrez même visualiser le tube digestif, l'estomac... afin de créer des conditions encore plus avantageuses pour la transformation de la matière en énergie.)

L'intérêt de la relaxation réside également dans le fait qu'elle permet de diminuer les besoins énergétiques de l'organisme, qu'il soit au repos ou en activité. En effet, la nutrition est avant tout nécessaire pour répondre aux besoins du métabolisme de base. Or les techniques d'autorégulation permettent d'économiser de l'énergie en équilibrant le tonus musculaire, en ralentissant le rythme cardiaque ainsi que les mouvements respiratoires.

6. L'hygiène corporelle

Au respect de ces règles alimentaires de base peuvent s'ajouter un ensemble de pratiques concernant les soins du corps : douche, sauna, nettoyages internes et confiance envers les éléments naturels en constituent les principaux éléments.

- **La douche**, aujourd'hui bien intégrée dans les habitudes de vie d'un grand nombre de personnes, n'est cependant pas assez employée fréquemment, c'est-à-dire au moins quotidiennement. Or, après une journée de travail ou un entraînement d'activité physique ou sportive, la douche chaude (35° à 45°) constitue un excellent moyen de récupération. En effet, elle a une action de vaso-dilatation sur les vaisseaux sanguins périphériques et permet un relâchement musculaire rapide et durable. En outre, se doucher au moins 10 à 15 minutes peut faciliter le sommeil.

- **Le bain à remous** constitue également un excellent moyen pour obtenir une totale et franche décontraction musculaire. La température de l'eau à 39° procure une sensation de très grand bien-être accentuée par la propulsion, sur tout le corps, de puissants jets d'eau chaude.

- **Quant au sauna**, c'est malheureusement une pratique trop peu répandue, tout au moins dans nos contrées (alors que dans les pays scandinaves, avant de construire une maison, on choisit d'abord l'emplacement de ce sauna !).

  En quoi consiste cette « étrange » pratique ? Il s'agit tout simplement de prendre un bain d'air chaud et sec, la vapeur provenant de la rencontre d'une petite quantité d'eau avec un foyer incandescent. Ainsi la pièce, isothermique, dans laquelle s'installent comforta-blement les adeptes donne-t-elle un véritable bain de relaxation, après, cependant, quelques séances d'adaptation. En effet, le sauna provoque une abondante sudation permettant l'élimination de toxines, mais aussi une importante variation de la pression artérielle. C'est pour cette raison que sa pratique est parfois controversée mais le bon sens et la voie du juste milieu doivent toujours prendre le pas sur ces querelles. Le sauna doit donc être modérément utilisé (5 à 10 minutes par séance, une ou deux fois par semaine) par des personnes ayant préalablement subi un contrôle médical. Quant aux pertes d'eau et de sels minéraux, elles seront compensées par l'absorption de boissons appropriées.

- **Les éléments naturels**, eux, apportent non seulement une indispensable énergie, mais de plus améliorent la santé ; leur utilisation, bien dosée, entraîne automatiquement un état de quiétude, de bien-être et de calme.

L'être humain d'aujourd'hui, souffrant des endroits bruyants et enfermés de nos villes, doit s'efforcer de s'oxygéner à la campagne ou d'aller prendre des bains de mer, de marcher nu-pieds sur la plage ou sur l'herbe encore mouillée de la rosée du matin. L'eau, l'air et le soleil : trois forces avec lesquelles nous devons nous harmoniser.

- **Quant aux nettoyages internes**, ils consistent en des procédés de purification rigoureusement décrits dans la pratique du yoga : nettoyage du nez, du tube digestif, de l'œsophage, de l'estomac, de la langue... Mais, la description de ces exercices dépassant le

cadre de cette étude, nous renvoyons le lecteur intéressé à notre précédent ouvrage[1].

7. Une discipline régulière

Des exercices physiques variés, des étirements quotidiens, des respirations conscientes et profondes ne peuvent que favoriser un état général de bien-être, une saine
fatigue, un juste tonus. Beaucoup de disciplines, aujour-
d'hui très répandues, sont à la portée du plus grand nombre
et, en fin de séance, des moments de retour au calme, de
détente et quelquefois de relaxation sont généralement
proposés. Ces pratiques (yoga, stretching, gym douce,
aïkido...) contribuent à prendre conscience des éventuels
mauvais placements du corps et donnent les moyens à
l'adepte de les corriger. Elles permettent de diminuer un
état de tension musculaire et physique, et apprennent à
mieux gérer, à économiser ses forces nerveuses.

Qu'elle soit de loisirs ou de compétition, la discipline
choisie doit correspondre à vos goûts et être une source
de bien-être, de plaisir et de détente. Ce sera aussi une
bonne occasion pour effectuer un bilan avec votre médecin : vérification de votre cœur, de votre tension artérielle, de l'état de votre dos, de vos jambes...

Quelle que soit la pratique adoptée, une mise en route
progressive est nécessaire pour préparer les muscles à
un supplément d'activités. Les articulations seront
déroulées en respectant les mouvements naturels et en
évitant (pour les premières séances) les trop grandes
amplitudes. Cette préparation, indispensable sur le plan

---

1. *Yoga, santé et vie quotidienne*, pages 89 à 97.

physiologique, peut également favoriser la déviation d'un éventuel stress psychologique.

S'il faut savoir se préparer à l'effort, il est aussi primordial de savoir récupérer : ne jamais arrêter brutalement votre activité ; effectuer par exemple des étirements ainsi que des exercices respiratoires.

Puis pratiquez des massages (voir chapitre correspondant), ou introduisez-vous dans un état de relaxation plus ou moins longtemps (selon le temps dont vous disposez). C'est pourquoi nous vous proposons dans ce guide pratique des exercices permettant de vous étirer d'une façon consciente et efficace. Inspirés du yoga et du stretching, ils conservent la mobilité des articulations, favorisant ainsi les actes de la vie professionnelle et les gestes de la vie quotidienne.

Mais, s'il est nécessaire de chercher à s'assouplir, il est aussi indispensable de se renforcer musculairement, c'est-à-dire d'augmenter la puissance de contraction des muscles. Cet entretien empêchera par exemple d'être fatigué au moindre effort et le renforcement musculaire est donc un moyen sain et assez simple d'apprendre à effectuer des économies d'énergie. S'il permet une adaptation facile à différents types d'effort, le renforcement musculaire conditionne également le bon équilibre organique (maintien par exemple des viscères grâce au travail des abdominaux), favorise l'utilisation et la dégradation de matières organiques (diminution de la masse graisseuse excessive) et peut prévenir certains accidents (sciatiques, lumbago...).

8. La compétence du moniteur

Il est fortement conseillé de commencer l'entraînement à la relaxation avec une personne qualifiée. C'est-à-dire quelqu'un qui ait reçu une solide formation et surtout qui possède une très grande expérience personnelle. Qu'est-ce que dix années d'étude pour quelqu'un qui souhaite maîtriser un art ou une science ?

Ainsi le formateur à qui vous vous adressez devra-t-il avoir cinq qualités essentielles :
  – être lui-même toujours en formation, c'est-à-dire savoir être élève,
  – avoir un comportement, une façon d'être qui ne soit pas en contradiction avec son enseignement,
  – être humble,
  – disponible et ouvert.

Le formateur (ou moniteur) devra, dans un premier temps, s'adapter au groupe auquel il s'adresse ou à un individu si c'est un cours particulier. Savoir s'adapter signifie être capable de donner un enseignement qui soit bien compris. En effet, les élèves doivent pouvoir assimiler progressivement les bases techniques de la relaxation afin de pouvoir un jour être totalement autonomes et posséder ainsi de réelles capacités d'autorégulation.

Le «relaxateur» doit aussi donner des directives claires, précises, d'une voix douce mais ferme. En effet, il faut à la fois que le mental soit en alerte, vigilant, et qu'il ait le temps d'enregistrer chaque instruction.

Si vraiment vous ne pouvez pas trouver d'enseignant, alors vous pourrez utiliser un CD-Rom[1] (ou utiliser

---

1. De l'auteur : *Relaxation*, deux séances guidées de 20 minutes (Éditions de l'A.C.C.).

celui-ci entre deux séances avec votre moniteur). L'enregistrement de la séance aura été fait par un moniteur qualifié, par une personne en qui vous avez confiance ou par vous-même (vous utiliserez alors l'exemple proposé page 150 «Exemples de relaxation»).

Pratiquer régulièrement une discipline favorisant le processus respiratoire, le placement du corps, la domestication de l'énergie, l'ouverture du champ de conscience.

D – LES EFFETS DE LA RELAXATION

C'est en fonction de tel ou tel effet recherché que le moniteur ou le lecteur pourra utiliser l'un des nombreux exercices décrits dans cet ouvrage.

Nous avons déjà évoqué la notion de tonus. Dans l'état de relaxation, le sujet peut obtenir une perception de lui-même beaucoup plus claire et profonde qu'à l'état de veille ordinaire. Mais, avec de l'entraînement, il est aussi possible de modifier, à volonté, ce tonus général tel un musicien jouant de son instrument et en maîtriser toutes ses facettes. Le potentiel d'énergie qui est en chacun de nous peut donc être domestiqué à volonté et cette possibilité extraordinaire devrait intéresser autant les sportifs de haut niveau que le «commun des mortels» afin, par exemple, de ne pas dépenser inutilement son énergie dans les différents actes de la vie quotidienne.

Cette économie d'énergie va de pair avec une diminution, voire, si possible, la suppression des tensions inutiles qui se révèlent sous la forme de contractures ou de gestes parasites. Toutes ces contractions, aussi minimes soient-elles, s'ajoutent les unes aux autres, ostensiblement, jour après jour, et occasionnent une fuite d'énergie très importante ; le corps se raidit, empêchant toute mobilité articulaire, et les gestes deviennent alors saccadés, sans grâce ni harmonie.

Mais ces tensions ne sont pas que physiques. Obtenir une certaine maîtrise de son corps, de son «véhicule corporel», procure déjà bien des avantages. Parvenir à apprivoiser son mental permet d'accélérer son évolution personnelle et de devenir maître de son destin. La relaxation, grâce à une discipline librement consentie, va permettre de discipliner son mental qui, à l'état normal, fonctionne le plus souvent comme des chevaux indisciplinés ou un... singe ivre ! Les différents exercices proposés dans cet ouvrage vont transformer le sujet, dans un premier temps, en témoin : témoin de ses tensions, témoin du flux incessant des pensées, des images qui s'impriment sur l'écran frontal tel un film. Avec de l'entraînement, dans un deuxième temps, tout en restant témoin, le sujet peut devenir metteur en scène, scénariste, et être ainsi le véritable... acteur de sa vie ! En effet, nous verrons qu'il est possible d'évoquer n'importe quelle image, de suggérer au mental telle ou telle pensée.

Autre avantage de la relaxation, la possibilité d'observer très finement le monde des sensations et des émotions. L'être civilisé, dans la grande majorité des cas, ne vit plus que « dans sa tête ». Totalement coupé du monde des sensations, il ne sait plus goûter aux joies simples que peuvent procurer la chaleur du soleil sur la peau, ou un vent marin léger ; coupé de ses racines, il a oublié tout le plaisir sain qu'entraîne une marche nu-pieds sur de l'herbe humidifiée par une rosée matinale. Par contre, il ne faut pas non plus devenir l'esclave des sensations et en faire une recherche effrénée. De même que, si nous souhaitons véritablement être libre, nous ne devons pas être des pantins mus par telle ou telle émotion. Comment être à la recherche des bonheurs et se laisser guider par la haine, la jalousie, la peur ou la colère ? Grâce aux techniques de relaxation, ces émotions vont être amenées « à la surface », observées en toute neutralité, puis congédiées à volonté.

Constamment tourné vers l'extérieur, le mental reçoit continuellement des messages par l'intermédiaire des sens, en particulier l'ouïe et la vue. Il s'agit de fonctions indispensables à l'adaptation d'un individu. C'est par l'intermédiaire du système nerveux que les signaux sont transmis. La transformation et le traitement de l'information se modèlent en fonction des attitudes et des motivations des individus. Ainsi tout organisme reçoit, du milieu dans lequel il vit, différentes formes d'énergie lumineuse, thermique, mécanique. Grâce à un codage particulier, cette énergie se transforme en un signal qui va déclencher une réponse, c'est-à-dire un comportement moteur. Grâce à la relaxation, l'individu va être beaucoup plus attentif et la réception des informations va être facilitée. Détendu, il pourra mieux traiter l'information, l'analyser et ne sélectionner que ce qui peut lui être utile.

Il pourra même, grâce aux techniques de visualisation, anticiper. L'exemple le plus classique est celui donné par les skieurs, qui, avant une descente en compétition, revoient « mentalement » le parcours qu'ils doivent effectuer et, bien évidemment, en franchissent les obstacles avec une plus grande facilité.

D'autre part, ces informations qui nous parviennent sollicitent constamment le système nerveux. Grâce à la relaxation, les nerfs moteurs et sensitifs vont être déconnectés, ce qui entraînera un repos et donc une « recharge » du système nerveux.

Un autre effet de la relaxation est un ralentissement du fonctionnement des fonctions vitales. *« Il se produit un ralentissement de tout le métabolisme. Cela est indiqué par une réduction de la consommation d'oxygène, une augmentation de la résistance (électrique) de la peau, une diminution du rythme cardiaque et une augmentation du fait de la réduction de la constriction des vaisseaux sanguins. Cet afflux de sang supplémentaire entraîne un apport d'oxygène aux muscles qui permet de diminuer le taux de lactate accumulé pendant l'exercice musculaire. Cela est important car des tests médicaux ont montré que l'augmentation du lactate dans l'organisme se traduisait par un surcroît de fatigue et d'anxiété[1]. »*

Enfin, l'individu, grâce à la relaxation, va devenir plus disponible : disponible musculairement, mentale-

---

1. *Yoga nidra*, S. Satyananda, *op. cit.*, page 58.

ment, entraînant ainsi une plus grande ouverture d'esprit. Mais disponible aussi aux autres : il est nécessaire d'être en harmonie avec soi-même afin de prétendre pouvoir établir des relations vraies, sincères et profondes avec son entourage.

Il est à noter également que la relaxation peut avoir des applications thérapeutiques très efficaces : elle peut aider à lutter contre les troubles du sommeil, contre la dépression et son cortège de maladies chroniques qui en découlent ; elle peut aider à diminuer, voire à supprimer les besoins en tranquillisants et drogues de toutes sortes. (Utilisation de techniques de relaxation dans des cures de désintoxication, en particulier les suggestions conscientes et les visualisations positives.) De même la relaxation peut jouer un rôle très positif dans le traitement de l'hypertension et des maladies cardio-vasculaires.

Les différentes postures de relaxation

A – POUR S'INSTALLER CORRECTEMENT DANS LA POSTURE DE RELAXATION

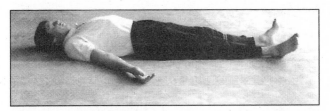

Photo n° 1

L'une des meilleures positions pour se relaxer totalement est celle où vous êtes allongé sur le dos (photo n° 1). Cependant, si pour une raison quelconque vous ne pouvez pas vous installer ainsi (hypertension, problème cervical ou lombaire, grossesse...), vous avez le choix entre de nombreuses autres positions que nous vous présentons.

Photo n° 2

De la position assise, vous vous allongez en déroulant doucement votre dos, vertèbre après vertèbre. Pour freiner ce déroulement, vous placez les mains sous les genoux (ou sous les cuisses).

Photo n° 3

Une fois votre tronc déposé sur le sol, vous rentrez votre menton dans la gorge afin de diminuer votre courbure cervicale. Pour vous y aider et en même temps pour bien étirer le cou, vous placez les doigts derrière la tête pour la tirer vers l'arrière. Vos jambes sont pliées, les pieds à plat sur le sol, le bas du dos étant bien plaqué sur le tapis.

Photo n° 4

*Afin de ne pas cambrer lorsque vous allongerez les jambes,
vous laissez tomber sur le côté une jambe et seulement
ensuite vous l'allongez. En effet, lorsqu'on allonge les deux
jambes en même temps, le risque de cambrer est plus
important.*

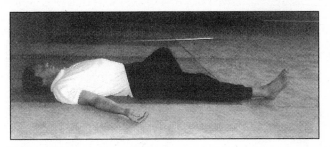

Photo n° 5

*Une fois installé dans la position (photo n° 1), placez les
bras légèrement en oblique par rapport au tronc, paumes
tournées vers le plafond (sans forcer la supination). Vous
laissez tomber les pieds à l'extérieur des jambes, celles-ci
étant écartées d'un peu plus que la largeur des hanches.*

B – AUTRES POSTURES DE RELAXATION

Photo n° 6

Si vous n'êtes pas à l'aise sur le dos, installez-vous dans cette position dite « du dormeur ».

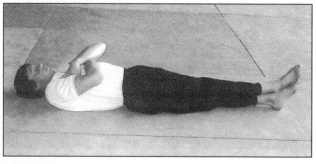

Photo n° 7

Autre position, dite « de la momie » : les bras croisés, les doigts sont sous les aisselles ; les jambes sont également croisées. (Position qui a l'avantage de conserver davantage la chaleur interne pendant la relaxation).

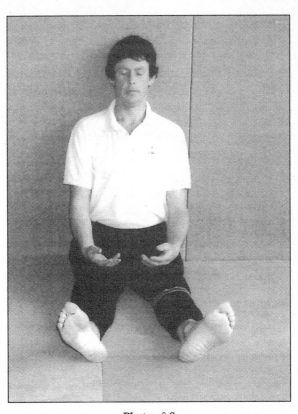

Photo n° 8
Dos contre un mur.

Photo n° 9

Un coussin sous les cuisses et un autre entre le front et le sol, si cela est nécessaire dans cette position.

Photo n° 10

En cas de problème de bas de dos, installez-vous confortablement les jambes pliées sur une chaise.

Photo n° 11

*Si votre dos n'est pas trop cambré, au lieu d'une chaise,
utilisez une couverture pliée (ou un coussin) placée sous les
cuisses.*

Photo n° 12

*En cas de gêne au niveau cervical, placez un coussin (ou
une couverture pliée) sous la nuque.*

CHAPITRE III

Les exercices pratiques

*« Ce n'est pas en lisant le manuel
du parfait petit nageur que l'on apprend à nager. »*

A – POUR SE PRÉPARER À LA RELAXATION

Afin de vous introduire plus facilement dans l'état de relaxation, vous allez effectuer des exercices d'étirement actif ainsi que des contractions/décontractions.

Pendant tous ces exercices, le principe d'entraînement sera :

– en inspirant, étirement d'une partie du corps,
– en restant poumons pleins, davantage d'étirement, ou contraction (6-7 secondes),
– en expirant, relâchement.

Exercice n° 1 : *Étirement d'un côté du corps*

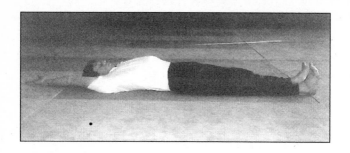

Si vous êtes en position allongée sur le dos. Placez votre bras droit, en inspirant, dans le prolongement du flanc droit, étirez ce bras droit, en poussant les doigts loin derrière vous. En même temps vous poussez loin devant vous votre talon droit, votre pied droit étant perpendiculaire au sol, orteils tournés vers votre visage. Poumons pleins, vous étirez davantage tout ce côté droit. Conservez cet étirement 6 ou 7 secondes puis relâchez en laissant jouer l'élasticité naturelle des muscles et des ligaments.

Effectuez 3 fois cet exercice.

Puis comparez le côté droit et le côté gauche grâce à trois critères : la température, le poids, la longueur.

Procédez de même avec le côté gauche après avoir replacé votre bras droit, légèrement en oblique par rapport à votre tronc.

Si vous êtes en position assise sur une chaise, le principe est le même : vous étirez votre bras vers le ciel et placez la jambe correspondante perpendiculaire à la

chaise. Poumons pleins, vous étirez davantage. En expirant vous relâchez le bras et la jambe.

3 fois cet exercice d'un côté et de l'autre.

Exercice n° 2 : Étirement de tout le corps

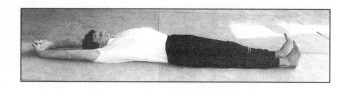

Cette fois, vous tendez les deux bras de chaque côté de la tête et vous tendez également les jambes, en inspirant. Poumons pleins vous vous étirez davantage en poussant les talons loin devant vous. Pour plus d'efficacité, vous pouvez croiser les doigts et tourner les paumes vers l'arrière. Si vous êtes en position allongée sur le dos, décambrez en plaquant le bas du dos sur le sol. En expirant, vous relâchez en laissant se faire l'élasticité naturelle des muscles et des ligaments.

Répétez 3 ou 4 fois cet exercice selon le besoin ressenti.

Exercice n° 3 : Contraction/décontraction

Cette fois, au lieu d'étirer davantage, lorsque vous avez les poumons pleins, vous allez contracter la partie du corps sollicitée.

En inspirant, vous serrez le poing droit et vous montez l'épaule droite vers l'oreille, en faisant glisser votre bras droit, tendu, le long de votre flanc droit. Poumons pleins, vous contractez davantage, en serrant fort le point et en poussant l'épaule vers l'oreille (6 ou 7 secondes). En expirant, vous relâchez la contraction et laissez se faire la détente.

Répétez 3 fois cet exercice.

Puis même principe avec le bras et la main gauche. 3 fois également.

Vous allez maintenant contracter, en même temps que vous inspirez, les fessiers, le bas-ventre et les abdominaux (en rentrant le ventre). Poumons pleins, vous contractez davantage ces régions. En expirant vous décontractez.

Effectuez 3 fois cet exercice.

Occupez-vous de votre jambe droite. En inspirant, vous poussez loin devant vous votre talon droit, orteils tournés vers le visage. Poumons pleins, vous contractez votre jambe et votre pied droit (6 ou 7 secondes), puis vous relâchez la contraction.

Réalisez 3 fois cet exercice à droite et 3 fois à gauche.

Enfin, vous allez contracter toutes les parties du corps qui ont été sollicitées précédemment en y ajoutant les mâchoires, le front, les sourcils... C'est-à-dire toutes les parties du corps que vous pouvez contracter toujours après une inspiration, pendant le temps de rétention poumons pleins. En expirant, laissez-vous vous décontracter tranquillement.

Répétez 2 ou 3 fois cet exercice en fonction du besoin ressenti.

Exercice n° 4 : Contractions/décontractions affinées et progressives

Les exercices sont exactement les mêmes que ceux décrits précédemment. Cependant, vous pouvez y ajouter beaucoup plus de finesse et de concentration. Voici comment procéder :

Prenons l'exemple du bras et de la main droite. Au moment de l'inspiration, lorsque vous serrez le poing,

comptez en même temps, mentalement, jusqu'à 5.
Temps 0, la main est ouverte. Temps 1 les doigts commencent à se replier légèrement. Temps 2 les doigts se referment un peu plus. Temps 3 encore un peu plus.
Temps 4 le poing est fermé. Temps 5 vous serrez le poing.

Contractez segment par segment en inspirant. Contractez davantage en rétention poumons pleins, puis décontractez en expirant.

Cet exercice peut s'effectuer en position allongée ou assis sur une chaise.

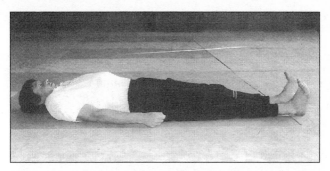

Contraction-décontraction de tout le corps

Ensuite, toujours en 5 temps, vous montez l'épaule droite vers l'oreille droite, bras tendu.

Pour le relâchement, vous procédez de la même façon mais à l'envers.

Temps 5, la contraction est au maximum. Temps 4, début du relâchement. Temps 3, 2 et 1, relâchement progressif. Temps 0, détente.

Vous procédez ainsi avec toutes les parties du corps.

Exercice n° 5 : La détente naturelle

Spontanément, plusieurs fois par jour, le corps se donne les moyens de se détendre, de s'étirer, de se relaxer. Surtout ne l'en empêchez pas ! Au contraire, vous pouvez même provoquer ces mouvements-réflexes.

Étirez-vous en levant les bras vers le ciel. Puis pliez les bras au niveau des coudes, en serrant les poings. Contractez vos bras et vos poings. Le haut du dos ainsi que les épaules se contracteront alors automatiquement. Vous remarquerez que ce mouvement naturel se réalise en harmonie avec les trois temps respiratoires décrits précédemment : en inspirant, étirement et mise en place des bras et des mains ; contractions poumons pleins et relâchement en expirant.

À cet exercice vous pouvez en ajouter un autre : le bâillement. Effectuez-le, mais en observant ce que réalise souvent votre organisme. Alors que la bouche s'ouvre largement, vous aspirez de l'air qui vient oxygéner principalement les régions costales et sous-clavi-culaires. Lors d'un maxi-bâillement, de celui qualifié de «bâillement à en décrocher les mâchoires», il se produit, lors de l'expiration par la bouche, une détente des épaules. En effet, en phase d'inspiration, les épaules se soulèvent légèrement. N'hésitez donc pas, en bâillant, à contracter toute la région des épaules.

Les étirements sont également un processus tout à fait naturel, que ce soit le matin au réveil ou au cours de la journée. Là encore, participez et même anticipez ces mouvements. Votre corps vous rendra ces bienfaits au centuple.

Autre manifestation naturelle de détente : le soupir. Allongé sur le dos ou assis(e) sur une chaise, observez ce qui se passe lors d'un soupir : à l'inspiration se produit un mouvement de la cage thoracique entraînant une ouverture de la région sous-claviculaire et une montée des épaules vers le cou. Le temps des poumons pleins, très courts (1 ou 2 secondes), est suivi d'une longue expiration, par le nez ou par la bouche qui n'est alors que très légèrement ouverte. Les épaules s'affaissent et, en position allongée, toute la face postérieure du corps s'étale. Les tensions sont abandonnées. D'où l'importance des exercices respiratoires, et en particulier la respiration complète.

Enfin, dernière observation de gestes spontanés : le massage du visage. À peine ressentons-nous une certaine fatigue, sommes-nous contrariés ou tendus, que nos mains, automatiquement, massent l'ensemble du visage. Cette fois encore aidez «le naturel» en massant systématiquement et consciemment chaque partie du visage et, si vous en avez le temps, le cou, les épaules et la nuque (voir le chapitre «Se relaxer grâce aux massages», page 105).

À l'aide de vos doigts, commencez, grâce à une pression ferme et continue, par masser le front puis les tempes, les sourcils, le nez, les joues, le dessous des mâchoires, les oreilles, le cou, le dessus des épaules, la nuque. Observez les effets produits.

B – SE RELAXER GRÂCE À LA CONSCIENCE DES CONTACTS

La peau est un organe déterminant dans le développement du comportement humain. Le besoin des contacts tactiles est vital pour l'équilibre de l'individu et les relations qu'il établit avec son entourage. Il est même prouvé que si un bébé n'est pas caressé, dorloté ou bercé par des bras aimants, il se développe mal physiquement et psychiquement.

La peau est l'organe le plus important du corps ; ce tissu continu recouvre en effet chez l'adulte une surface de deux mètres carrés environ et pèse près de quatre kilos ! La peau est donc beaucoup plus qu'une simple pellicule interposée entre le monde et nous. *« C'est un organe composé de plusieurs couches possédant son propre système sanguin et un système nerveux spécifique. La couche la plus profonde de la peau produit en permanence de nouvelles cellules, qui s'élèvent progressivement jusqu'à la surface en changeant de forme et de fonction selon les couches traversées. Elles meurent en atteignant la couche extérieure de la peau, mais elles constituent encore une pellicule protectrice contre les agressions microbiennes avant d'être éliminées et remplacées par une nouvelle couche de cellules. Au cours de la vie, nous perdons ainsi environ vingt kilos de cellules mortes[1] !* » L'une des fonctions principales de la peau est d'assurer la relation du corps avec le monde extérieur en recevant et en transmettant des messages sensoriels au cerveau. Trois de nos sens possèdent des récepteurs dans la peau : l'odorat dépendant des terminaisons nerveuses enrobées de mucus qui sortent dans la peau de la cavité nasale ; le toucher et le goût reçus par des terminaisons nerveuses spécialisées, situées juste sous la surface de la peau.

L'importance du toucher se manifeste également à travers les expressions courantes : « avoir quelqu'un dans la peau », « avoir la peau dure », « aller dans le sens du poil », « avoir des réactions épidermiques », « avoir du tact », « faire la peau à quelqu'un »...

Grâce aux exercices que nous vous présentons ci-dessous, vous allez donc pouvoir non seulement vous relaxer profondément mais aussi affiner ce sens du toucher, élément capital de perception.

Exercice n° 6 : Conscience des contacts d'un seul côté du corps

En position allongée sur le dos, vous allez porter votre attention uniquement sur les points de contact de votre corps avec le tapis ou le lit sur lequel vous êtes confortablement installé. (En position assise sur une chaise, vous porterez votre attention sur les points de contact du dos avec le dossier, des pieds avec le sol...)

Ce premier exercice va consister à observer les diffé-

---

1. *Le corps vivant*, K. Sabbagh (Éd. Carrère), page 24.

rents points de contact de tout le côté droit de votre corps.

Votre attention se porte sur le contact de votre talon droit avec votre tapis ou votre lit. Pause... Votre mollet droit. Pause... Le dessous de votre cuisse droite. Pause... Votre fesse droite... Votre bras droit... Les points de contact de votre main droite... Votre omoplate droite. L'attention se porte sur tous les points de contact précédemment cités.

Comparez le côté droit et le côté gauche.

Exercice n° 7 : Conscience des contacts des deux côtés

Continuez cette observation par la prise de conscience du point de contact de votre talon gauche... Mollet gauche... Dessous de la cuisse gauche (le temps de pause n'est plus indiqué). Fesse gauche. Bras gauche. Les points de contact de votre main gauche... Votre omoplate gauche. L'arrière de la tête.

Votre attention se porte sur l'ensemble des points de contact de votre corps avec le tapis ou le lit.

Exercice n° 8 : Conscience affinée des contacts

Votre conscience va se porter sur d'autres points de contact :
- de votre peau avec vos vêtements. Parcourez ainsi l'ensemble de votre corps, segment par segment (poignet, avant-bras, coude...),
- de votre peau avec l'air ambiant : sensation de fraîcheur, de chaleur ?,
- de l'air expiré par le nez avec le milieu de la lèvre supérieure.

C – SE RELAXER GRÂCE AU CHEMINEMENT DE LA CONSCIENCE

Installez-vous confortablement en position allongée sur le dos, sur un tapis au sol ou sur votre lit. Si vous ne vous sentez pas bien dans cette posture, choisissez l'une des positions décrites précédemment.

Fermez les yeux. Effectuez une longue inspiration suivie d'une longue expiration accompagnée d'un profond soupir. (C'est d'ailleurs ce que fait spontanément le corps lorsqu'il se détend tout seul.) Pour suivre cette relaxation, il va vous suffire de porter votre attention sur les différentes parties du corps qui vont être nommées. Il n'est pas nécessaire de les bouger, ou d'effectuer un quelconque mouvement. Vous devez simplement retrouver la sensation éprouvée juste avant le sommeil. Mais, bien entendu, vous ne devez pas vous endormir. Si parfois, au cours de cette relaxation, des pensées ou des images surgissent, ne vous en occupez pas. Laissez-les passer et portez toute votre attention sur votre pratique.

Tout d'abord, prenez conscience de votre immobilité. Observez-vous de la tête aux pieds et des pieds à la tête.

Grâce à cette relaxation, vous allez faire un voyage intérieur. Restez éveillé, gardez votre conscience en alerte. Répétez mentalement le nom de la partie du corps nommée en même temps que vous observez la sensation de détente.

Exercice n° 9 : Conscience d'un côté du corps

Portez votre attention sur votre main droite. Pause... Poignet droit. *Pause...* Bras droit. *Pause...* Aisselle et flanc droits. *Pause...* Fesse droite. *Pause...* Jambe droite. *Pause...* Pied droit. *Pause...*

Comparez votre côté droit et votre côté gauche grâce à trois critères : la température. *Pause...* Le poids. *Pause...* La longueur. *Pause...*

Exercice n° 10 : Conscience affinée des parties principales du corps.

Maintenant vous portez votre attention sur votre main gauche. Pause... *(Les pauses ne seront plus indiquées.)* Poignet gauche... Bras gauche... Aisselle et flanc gauches... Fesse gauche... Jambe gauche... Pied gauche...

Ayez conscience de votre dos. Le bas du dos. Le milieu du dos. Le haut du dos, la région des omoplates. Votre colonne vertébrale. Tout votre dos.

Le devant du tronc : ventre, côtes, poitrine.

Observez tout votre corps. Ne vous endormez pas.

Exercice n° 11 : Conscience affinée de tout le corps

Vous pouvez rendre votre relaxation encore plus profonde. Pour cela vous allez porter votre attention sur votre pouce droit. Prenez bien le temps d'observer ce pouce droit : ses deux phalanges, son ongle. L'index droit : chaque phalange, l'ongle. Le majeur droit : phalanges, ongle. Annulaire droit : phalanges, ongle. Auriculaire droit : phalanges, ongle. Paume droite. Dos de la main droite. Poignet droit. Montez le long de l'avant-bras droit vers le coude droit. Parcourez le bras droit vers l'épaule droite. De l'aisselle droite, descendez dans le flanc droit vers la hanche droite. La conscience se dirige dans la cuisse droite. Dessous de la cuisse droite. Dessus de la cuisse droite. Genou droit. Mollet droit. Cheville droite. Talon droit. Plante du pied droit.

Dessus du pied droit. Conscience du gros orteil droit qui sera le 1er orteil, 2^e orteil, 3^e orteil, 4^e orteil, 5^e orteil.

Vous prenez conscience du pouce gauche : phalanges, ongle. Index gauche : phalanges, ongle. Majeur gauche : phalanges, ongle. Annulaire gauche : phalanges, ongle. Auriculaire gauche : phalanges, ongle. Paume gauche. Dos de la main gauche. Poignet gauche. Montez le long de l'avant-bras gauche vers le coude gauche. Parcourez le bras gauche vers l'épaule gauche. De l'aisselle gauche, descendez dans le flanc gauche vers la hanche gauche. La conscience se dirige dans la cuisse gauche. Dessous de la cuisse gauche. Dessus de la cuisse gauche. Genou gauche. Mollet gauche. Cheville gauche. Talon gauche. Plante du pied gauche. Dessus du pied gauche. Conscience du gros orteil gauche qui sera le 1er orteil, 2e orteil, 3e orteil, 4e orteil, 5e orteil.

L'attention se porte sur le dos. Le haut du dos. L'omoplate droite. L'omoplate gauche. Le milieu du dos. Le bas du dos. La colonne vertébrale. Tout le dos. La fesse droite. La fesse gauche. Le bas-ventre. Les côtes. La poitrine. Les clavicules. La gorge. Le cou. L'arrière de la tête. Le cuir chevelu. Le crâne. Le front. La tempe droite. La tempe gauche. Le sourcil droit. Le sourcil gauche. L'œil et la paupière droits. L'œil et la paupière gauches. L'espace entre le nez et la lèvre supérieure. La lèvre supérieure. La lèvre inférieure. Le menton. Le nez. Nez dans lequel vous sentez le va-et-vient de la respiration, calme, tranquille. Tout votre corps est relaxé. Votre système nerveux se repose.

D – Se relaxer grâce à la visualisation

Parfois, vous vous sentez agressé par un environnement médiatique négatif : événement dramatique mis à la une, images de guerre, de famine, annonces de crises, de crimes, de chômage croissant.

Vous souhaitez réagir et vous pensez que chacun de nous doit avoir un coin de ciel bleu en lui. Vous croyez que des images saines, douces, reposantes sont absolument nécessaires à votre équilibre. Que des pensées positives peuvent créer des conditions favorables à la réussite de vos projets et même changer votre destin. Vous avez entièrement raison.

La visualisation positive et l'autosuggestion sont une véritable diététique de l'esprit. Mais ce ne sont pas des recettes toutes faites. Vous devez vous prendre en charge si vous souhaitez remodeler votre mental, donner à votre psychisme toutes les chances de développer au maximum ses potentialités.

Comme tout dans la nature, le mental est en constant état de vibration. Ces vibrations, appelées pensées ou images, peuvent être créées, dirigées à volonté, d'autant plus qu'elles ne sont conditionnées ni par le temps ni par l'espace. Grâce à ces exercices, vous allez donc pouvoir développer non seulement votre puissance mentale mais aussi avoir accès aux couches les plus profondes de votre subconscient. Les suggestions que vous y déposerez, telles des graines, croîtront inexorablement et affecteront positivement et durablement votre comportement, votre personnalité.

Ne soyez plus les victimes impuissantes de votre destin, sachant que vous pouvez modeler vous-même votre propre structure mentale.

Que ces exercices soient donc des outils pratiques et efficaces au service de votre démarche d'évolution, de votre cheminement intérieur.

Lorsque vous avez les yeux fermés, vous pouvez observer, dans votre espace frontal, comme une espèce d'écran de cinéma noir, tacheté de petites lumières. Il faut savoir que sur cet écran il vous est possible de projeter, à loisir, n'importe quelle image, n'importe quel film. C'est exactement ce qui se passe lorsque vous rêvez ou lorsque vous vous rappelez des souvenirs.

Chaque jour, votre mental s'imprègne de milliers d'images qui viennent nourrir votre inconscient. Dans les exercices qui vont suivre, vous allez proposer à votre mental une « nourriture » d'images appropriées. De plus, devenez spectateur des images surgies de l'inconscient ; celles-ci vont perdre de leur puissance perturbatrice sur le plan émotionnel en particulier. Vous vous installez confortablement en position allongée sur le dos ou agenouillé, ou en tailleur (ou l'une des postures décrites précédemment).

Exercice n° 12 : Visualisation d'un paysage reposant

Selon votre passé, votre culture, vous avez en mémoire un paysage qui vous est familier, un endroit où vous vous sentez particulièrement bien. Bord d'un lac ou d'une rivière, plage de sable fin balayée par le va-et-vient d'une mer chaude, splendide montagne enneigée... Vous vous souvenez certainement d'un de ces lieux où vous étiez profondément en harmonie avec l'environnement. Une sensation de paix intérieure vous avait alors envahi, de calme extraordinaire : le sentiment d'avoir retrouvé le paradis perdu !

Essayez de réactiver vos souvenirs de façon à faire

ressurgir un tel endroit. Puis conservez-en l'image. Observez tout simplement « ce tableau intérieur » : vous en êtes le peintre, le spectateur et sa contemplation vous introduit dans un état de relaxation. Si vous n'avez pas de tels souvenirs, imaginez l'endroit que, intuitivement, vous sentez propice à l'émergence d'une paix absolue (cette paix qui EST, qui existe TOUJOURS, mais que vous avez enfouie sous un amas de tensions accumulées, de visions erronées).

Exercice n° 13 : Visualisation d'un scénario : relaxation aquatique

Vous appréciez particulièrement l'eau. Alors vous vous imaginez en train de vous baigner dans une rivière. Vous vous laissez entraîner par le courant. Ainsi, vous vous dirigez vers un fleuve qui, au fur et à mesure de votre progression, s'élargit. Ce fleuve débouche sur la mer. Son eau est claire, légèrement bleutée et très chaude. Vous vous laissez bercer par un léger mouvement de vagues, alors que toutes vos tensions, vos soucis disparaissent dans les profondeurs.

Exercice n° 14 : Visualisation d'un scénario : la plage

Vous êtes allongé sur une plage de sable fin. Vous vous laissez envahir par la douce chaleur que vous procurent les rayons d'un soleil magnifique. Votre corps, de plus en plus pesant, forme sur le sable la marque de votre corps. Vos tensions, vos problèmes s'imprègnent à cet endroit. Votre corps alors se soulève du sol afin de changer de place. Vous êtes devenu léger, libéré d'un pesant fardeau.

Exercice n° 15 : Visualisation d'un scénario : le nuage

Vous êtes confortablement installé sur un nuage. À allure très lente, il se déplace dans le ciel, vous transportant au-dessus de tous les endroits agréables de la terre que vous avez connus ou que vous aimeriez connaître. Puis il se pose dans l'un de ces endroits que vous appréciez particulièrement. Enveloppé d'une espèce de chaud cocon, relaxez-vous alors profondément.

Exercice n° 16 : Visualisation d'un scénario : le cosmos

Vous êtes confortablement allongé sur un tapis. Doucement, vous quittez le sol. Vous vous dirigez vers le ciel. Ce ciel sans nuages est d'un bleu lumineux. Vous continuez votre ascension et l'image de la Terre s'amenuise. Vous entrez maintenant dans l'Univers parsemé d'étoiles. Dans ce cosmos silencieux, vous n'avez plus une seule contrainte. Vous planez, libre de tout effort d'apesanteur.

Exercice n° 17 : Visualisation d'un scénario : l'espace infini

Allongé sur le dos, vous touchez un mur de votre main droite. Un autre mur de votre main gauche. Vos plantes de pieds, ainsi que le sommet de votre tête, sont également en contact avec un mur. Tout doucement ces murs vont s'écarter, entraînant ainsi vos mains, votre tête, vos pieds. Tout votre corps s'étire, à partir de votre ventre, l'abdomen. Ce n'est plus vous qui respirez mais le sol. Votre corps devient aussi grand que la pièce dans laquelle vous êtes installé. Tout en vous s'élargit et surtout votre mental. Par contre, vos tensions s'amenuisent, vos soucis s'estompent car vous êtes devenu aussi grand que la terre. Vous continuez de croître et vous devenez la conscience même de l'univers. Un espace infini vous habite. Pour quitter cette relaxation, vous focaliserez votre attention sur votre abdomen et progressivement vous retrouverez votre taille normale. Par contre, gardez précieusement en mémoire cette possibilité d'élargir votre champ de conscience jusqu'aux confins de l'univers.

Exercice n° 18 : Visualisation d'un scénario : le jardin magnifique

Vous êtes allongé, en position de relaxation, au milieu d'un jardin magnifique. S'y trouvent des fleurs aux couleurs extraordinaires. Chacune d'elles dégage un parfum subtil qui a la propriété de vous calmer, de vous relaxer. Laissez-vous entraîner par les images qui vont se succéder tel un film intérieur. Essayez même de réactiver le souvenir d'un parfum.

E – SE RELAXER GRÂCE À LA SUGGESTION CONSCIENTE

« La pensée humaine peut tout. »
Dans les années 50, un porte-conteneurs anglais, transportant des bouteilles de vin de Madère en provenance du Portugal, vient débarquer sa cargaison dans un port écossais. Un marin s'introduit dans la chambre froide pour vérifier si tout a été bien livré. Ignorant sa présence, un autre marin referme la porte de l'extérieur.

Le prisonnier frappe de toutes ses forces contre les cloisons, mais personne ne l'entend et le navire repart pour le Portugal.

L'homme découvre suffisamment de nourriture mais il sait qu'il ne pourra survivre longtemps dans ce lieu frigorifique. Il trouve pourtant l'énergie de saisir un morceau de métal et de graver sur les parois, heure après heure, jour après jour, le récit de son calvaire. Avec une précision scientifique, il raconte son agonie. Comment le froid l'engourdit, gelant son nez, ses doigts et ses orteils qui deviennent cassants comme du verre. Il décrit comment la morsure de l'air se fait brûlure intolérable. Comment, peu à peu, son corps tout entier se pétrifie en un bloc de glace.

Lorsque le bateau jette l'ancre à Lisbonne, le capitaine qui ouvre le conteneur découvre le matelot mort. Il lit, sur les parois, le journal minutieux de ses affreuses souffrances.

Pourtant, le plus stupéfiant n'est pas là. Le capitaine relève la température à l'intérieur du conteneur. Le thermomètre indique 19 °C. Puisque le lieu ne contenait plus de marchandises, le système de réfrigération n'avait pas été activé durant le trajet de retour. L'homme était mort uniquement parce qu'il croyait avoir froid. Il avait été victime de sa seule et propre imagination[1].

D'autres cas sont encore cités, montrant la puissance de la pensée :

«On a demandé à des étudiants de tester un nouveau médicament. Tous n'ont reçu qu'un comprimé de sucre,

---

1. Cité par Bernard Werber dans son roman *Le jour des fourmis*, page 102.

mais les trois quarts ont fait état d'effets secondaires : états dépressifs, effet sédatif, agitation, maux de tête, tremblements, ralentissement du rythme cardiaque » (docteurs Peter Skabanck et James Mc Cormick).

Ou bien encore l'histoire très significative de cette épingle fictive :

« Une femme pensait avoir avalé une épingle avec son pain et se tourmentait comme ayant une douleur insurmontable au gosier (...) ; mais parce qu'il n'y avait ni enflure ni altération par le dehors, un habile homme, ayant jugé que ce n'était que fantaisie et opinion, la fit vomir et jeta, à la dérobée dans ce qu'elle rendit, une épingle tordue. Cette femme croyant l'avoir rendue se sentit soudain déchargée de sa douleur[1]. »

Sans aller jusqu'à ces extrêmes, qui n'a pas un jour cependant prié pour espérer voir se réaliser un souhait ? Ou pris une ferme résolution ? Ou ne s'est pas engagé à réussir une épreuve ? Voir aboutir un idéal ?

Ces formules, pour qu'elles soient efficaces, doivent être toujours positives, sincères, exprimées très clairement, et il ne faut pas en changer tout le temps. Elles présentent alors un double intérêt :

– Elles permettent de se relaxer plus vite et plus profondément.
– Répétées en état de relaxation elles s'enracinent dans le subconscient et deviennent alors plus puissantes.

---

1. Montaigne, *Les Essais.*

Exercice n° 19: Suggestions pour se relaxer profondément

Après avoir pratiqué quelques-uns des exercices précédents et donc confortablement installé en position de relaxation, voici quelques formules que vous pouvez répéter (3 fois):
– «Je suis calme, tout à fait calme.»
– «Je suis relaxé, profondément relaxé.»

Exercice n° 20: Autres suggestions

En état de relaxation, voici quelques suggestions que vous souhaitez proposer à votre subconscient:
– *Si vous avez du mal à dormir:* «je m'endors facilement et profondément».
– *Si vous avez des problèmes de santé:* «je suis en parfaite santé» (et non pas «je ne suis plus malade»).
– *Si vous estimez avoir un gros défaut qui vous empêche de vous réaliser pleinement, cultivez alors sa qualité opposée:*
  • «J'ai du courage et de la force» (si vous avez toujours peur).
  • «Je suis plein de vitalité» (si vous êtes toujours fatigué. Mais, dans ce cas, aidez aussi votre organisme en réfléchissant sur la façon de vous nourrir).

Enfin, si vous souhaitez que la vie vous aime, aimez la vie! Et utilisez le leitmotiv de la méthode dite «méthode Coué»:

«CHAQUE JOUR, À TOUT POINT DE VUE, JE VAIS DE MIEUX EN MIEUX.»

F – SE RELAXER GRÂCE À LA RESPIRATION

La respiration est un capital inestimable ; c'est la base de la vie. Mais « peu de personnes portent vraiment intérêt à leur respiration ; c'est pourtant elle qui entretient jour et nuit la flamme de notre vie en fournissant à l'organisme l'oxygène nécessaire aux combustions ; elle permet également de se débarrasser des produits gazeux provenant des activités chimiques internes. Une bonne connaissance de la physiologie permet de prendre conscience de tous les organes de la mécanique respiratoire ainsi que des phénomènes chimiques de la respiration.

Ce qu'il est intéressant et surtout pratique de noter, c'est que la respiration est la seule fonction physiologique sur laquelle nous pouvons avoir, à tout moment, une action directe ; or, sachant que par notre seule volonté nous pouvons modifier son rythme, son intensité, nous pouvons transformer notre état présent et futur puisque la respiration est associée à nos émotions et influence toutes nos fonctions vitales. Pour cette raison, il faut effectuer le plus souvent possible des respirations complètes, tant pour conserver ce merveilleux capital que pour le développer, et porter également le plus grand intérêt au diaphragme et au nez ».

Vous devez donc absolument tout faire pour entretenir une respiration qui, naturellement, doit être ample, profonde.

Vous pouvez également utiliser votre respiration pour mieux vous relaxer.

Exercice n° 21 : Simple observation de la respiration

Quelle que soit la position de relaxation adoptée, portez tout simplement votre attention sur votre respiration.

Suivez son va-et-vient. N'hésitez pas à placer les mains sur chaque étage respiratoire.

– **La respiration abdominale :**
dite aussi respiration diaphragmatique ; on peut aisément l'observer chez les enfants, les personnes calmes, détendues ou profondément endormies ; elle est capitale pour le maintien de la santé et l'entretien de notre énergie vitale. Cette respiration « dans le ventre » n'est qu'une impression car, en fait, c'est le diaphragme qui pousse les organes abdominaux vers le bas. Cette respiration « basse » est l'un des éléments essentiels de la méditation zen, du tir à l'arc ou de l'aïkido pour développer ce que les Japonais nomment le hara où se concentre la force du ki.

– **La respiration costale :**
à chaque inspiration, un appel d'air est provoqué dans le tissu pulmonaire (ainsi qu'un afflux de sang). C'est l'élasticité de ce tissu qui permet ce travail mais aussi la souplesse de la cage thoracique. Plus le mouvement d'« accordéon » des côtes sera aisé, plus l'apport en oxygène sera favorisé (et, par conséquent, les combustions cellulaires). Cette respiration costale est liée à la maîtrise des émotions, surtout la zone du plexus solaire, et son contrôle permet d'appréhender des situations difficiles avec beaucoup plus de sang-froid et de calme ; examens, concours, compétitions, position face à un public, etc.

– **La respiration haute ou sous-claviculaire :**
les tensions accumulées au niveau de la ceinture scapulaire ne favorisent pas du tout cette respiration et la prise de conscience de ce troisième étage respiratoire nécessite parfois beaucoup de temps. On voit donc l'intérêt du travail postural qui permettra une plus

grande ouverture au niveau claviculaire (les femmes enceintes savent combien elle est importante) afin d'oxygéner toute la surface pulmonaire. Cette respiration haute est en rapport étroit avec « l'ouverture au monde » et le développement de la spiritualité (clavicule, du latin *clavicula* : « petites clefs » ; les clefs de la spiritualité ?).

– **La respiration complète :**
elle englobe les trois autres précédemment citées et s'effectue en deux temps grâce à une inspiration longue, lente et profonde. L'abdomen est gonflé puis les côtes s'écartent et, enfin, le souffle arrive dans la zone claviculaire ; à l'expiration, se produit l'affaissement de la région abdominale puis celui de la cage thoracique et, en dernier, s'effectue l'expiration haute.

Cette respiration complète devrait être pratiquée le plus souvent possible, quelle que soit l'activité en cours ; d'ailleurs, elle se fait d'elle-même à certains moments, accompagnée d'un long soupir et d'une détente générale. On peut donc aider ce phénomène « naturel » grâce à une éducation (ou rééducation) respiratoire : les répétitions volontaires de respirations forcées deviendront vite une habitude et se transformeront en automatisme. L'idéal est d'être le plus fréquemment possible conscient de sa respiration, source de toutes les manifestations de la vie.

Une fois pratiqués ces exercices respiratoires, continuez avec les exercices suivants afin d'obtenir une relaxation encore plus profonde.

Exercice n° 22 : *Respiration et contact de la face postérieure du corps*

Installez-vous en position allongée sur le dos.

À l'inspiration, observez le cheminement de votre respiration. À l'expiration, laissez s'étaler toute la face postérieure de votre corps sur le tapis ou le lit. Imaginez toutes vos tensions « s'infiltrer » dans la terre comme le ferait l'eau après une averse.

Exercice n° 23 : *Respiration et sensation*

Quelle que soit la position de relaxation choisie, observez :
- à l'inspiration, la fraîcheur de l'air dans votre nez,
- à l'expiration, la tiédeur de l'air qui, régulièrement, tels le flux et le reflux de la mer, vient en contact avec le milieu de la lèvre supérieure.

Exercice n° 24 : *Respiration et visualisation d'une lumière*

Quelle que soit la position, suivez l'inspiration du nez jusqu'au ventre. À l'expiration, imaginez une lumière bleutée, chaude, qui se propage dans tout votre corps à partir de votre abdomen (d'un point situé à environ deux centimètres en dessous du nombril). Cette lumière inonde la plus petite partie de votre être jusqu'à vos cellules.

Exercice n° 25 : *Respiration et visualisation d'une spirale*

Cet exercice convient particulièrement bien aux personnes souhaitant s'ouvrir davantage au monde, désirant mieux communiquer. De plus, comme l'exercice précédent, il apporte une puissante recharge énergétique. Le matin, il peut se réaliser debout.

Formez une croix avec vos bras et vos jambes dont le centre se situe juste en dessous de votre nombril. À chaque respiration, suivez l'air des narines jusqu'au ventre. À l'expiration, visualisez une spirale se développant à partir de votre nombril (plus exactement deux centimètres en dessous). Cette spirale, localisée d'abord dans l'abdomen, va en s'amplifiant jusqu'à atteindre les doigts des mains et des pieds. Mais elle continuera sa croissance en devenant large comme la pièce dans laquelle vous êtes ; puis vaste comme la maison, la commune, le département, la région... la terre entière. Ne soyez plus maintenant qu'un point central de l'univers.

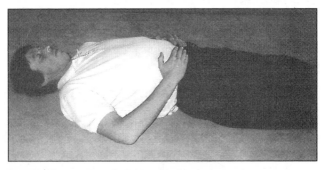

Simple observation de la respiration

Formez une croix avec vos bras et vos jambes.
Cette position peut être aussi réalisée debout.

Quand vous cesserez cet exercice, ramenez, par l'intermédiaire de la spirale, toute l'énergie contenue dans le cosmos, afin de la dispenser autour de vous.

Exercice n° 26 : Respiration et autosuggestion

Vous pouvez allier l'observation du souffle et la formulation de suggestions, telles celles décrites au chapitre précédent.
  – À l'inspiration vous répéterez mentalement : « je suis calme ».
  – À l'expiration : « tout à fait calme ».
Ou bien : « je suis relaxé » (inspiration), « profondément relaxé » (expiration).

G – SE RELAXER GRÂCE À L'ÉCOUTE

Pour entendre, et qui plus est écouter, il est nécessaire tout d'abord de réaliser le silence intérieur. Dans notre monde sonore et bruyant, nous avons perdu l'habitude d'écouter réellement. Et pourtant quel bonheur partagé que de se mettre vraiment à l'écoute de quelqu'un, ou d'apprécier un chant mélodieux, sa musique préférée, ou tous les sons que nous offre la nature, en particulier la nuit. Mais, en fait, comment fonctionne notre oreille ? Qu'est-ce qu'un son ? Comment des exercices d'écoute, en particulier l'écoute d'une musique, peuvent-ils nous aider à nous détendre, nous relaxer ?

L'oreille est constituée de trois parties :

- L'oreille externe, qui sert à capter les sons, est une sorte d'entonnoir véhiculant les bruits dont le conduit mesure environ 2,5 centimètres et qui contient quelque 4 000 glandes sécrétrices de cire. Ce conduit sert également à tempérer l'ambiance interne de l'oreille ; en effet, quelles que soient les variations thermiques ou hydrométriques, l'air qui parvient au tympan possède une température et une humidité constantes.
- La seconde partie est l'oreille moyenne constituée d'un compartiment très réduit empli d'air, contenant un système amplifiant, fait de trois os : le marteau, l'enclume et l'étrier (ce dernier étant le plus petit des os du corps humain).
- Quant à l'oreille interne, elle est d'une surprenante complexité : bien que pas plus grosse qu'une noisette, elle possède autant de circuits qu'un central téléphonique d'une ville de bonne dimension ! Elle compte parmi les parties les mieux protégées de

l'organisme, située à l'intérieur du crâne et proté-
gée par un coussin de liquide.

«Le mécanisme central de l'ouïe est la cochlée, où les
ondes soniques sont transformées en impulsions nerveuses. Cette cochlée, ou limaçon, est une petite structure osseuse qui ressemble à un escargot et fonctionne
comme le clavier d'un piano, à cette différence près
qu'il existe à peu près 20 000 touches dans la cochlée
contre 88 dans un piano et qu'elles sont constituées non
d'ivoire mais de cellules sensorielles ressemblant à des
cheveux.

Au lieu d'être disposées à plat, elles se présentent le
long d'une membrane enroulée deux fois et demie sur
elle-même. Les sons transmis par les touches à la fenêtre
ovale déterminent des ondes de pression liquide à travers la spirale des canaux cochléaires. Selon leur hauteur, les sons provoquent leur effet maximal sur
différents segments du clavier des cellules sensorielles.
Les sons qui appartiennent aux fréquences les plus
basses activent les cellules sensorielles les plus larges et
flexibles, au cœur de la spirale cochléaire. Les sons de
plus haute fréquence obtiennent leur réponse maximale
à la fin de la spirale, au plus près de la fenêtre ovale, là
où les cellules nerveuses sont étroites et rigides.

En vibrant, les cellules sensorielles provoquent des
impulsions, qui, captées par le nerf auditif, sont trans-
mises au cerveau. Là, les signaux sont entendus comme
un son particulier: une voix, l'appel d'un oiseau, ou
encore tout ce que l'expérience nous a appris à associer
à ce genre de signaux particuliers.

Lorsque les cordes d'un violon ou les cordes vocales,
ou encore lorsqu'un diapason ou tous autres objets

vibrent ou se meuvent rapidement d'avant en arrière, cela produit des perturbations dans l'air qui les environne. Ce sont ces perturbations que nous appelons sons. Elles surviennent lorsque le mouvement oscillatoire pousse les molécules constituant l'air en ondes alternantes d'air comprimé – au sein desquelles les molécules sont comprimées par la pression – et en air raréfié – dans lequel les molécules sont éparpillées sous une pression minimale. L'effet peut être comparé aux sommets et aux creux des vagues de l'océan. Les ondes sonores sont disposées en chaînes de fréquences ou cycles par seconde. Ainsi, par exemple, les sons les plus graves d'un piano produisent 27 vibrations par seconde. À l'opposé, on a produit des ondes sonores, au cours d'expériences scientifiques, de 70 millions de vibrations par seconde. Ce n'est qu'au moment où elles ont été recueillies par le tympan et adressées au cerveau pour analyse, que les ondes de pression deviennent des sons[1]. »

Nous pouvons percevoir des sons allant de 16 000 à 20 000 vibrations par seconde, recouvrant ainsi à peu près 10 octaves.

Nous ne pouvons entendre des sons de très haute fréquence, ceux perçus par exemple par les chats. Mais heureusement que nous ne pouvons entendre tous les sons qui existent car nous ne connaîtrions jamais le silence ! Déjà, dans notre monde industrialisé, le bruit est un facteur d'échec à l'efficacité et à la santé. C'est en fait l'excès de bruit qui peut déclencher des réactions

---

1. *Merveilles et secrets du corps humain*, Sélection du Reader's Digest, Paris, page 209.

biochimiques variées, telles que l'hypertension artérielle, un fonctionnement endocrinien anormal, un
rythme cardiaque accéléré, le souffle court et le ralentissement de l'irrigation sanguine du fœtus chez une
femme enceinte. On a remarqué, en outre, que tension
nerveuse, problèmes scolaires, insomnies et vulnérabi-
lité aux accidents sont plus fréquents dans les milieux
bruyants. Dans ce genre d'environnement, les gens tra-
vaillent moins. Dans un bureau bruyant, les dactylos utilisent 20 % de leur énergie pour lutter contre les effets
du bruit.

Si les bruits excessifs sont nocifs, des successions
harmonieuses de sons peuvent, au contraire, produire un
état de relaxation très profond, provoquer une variation
des rythmes cardiaques et respiratoires.

« Par l'écoute musicale, on diminue l'anxiété, la peur
de la souffrance et la douleur elle-même. Ainsi, dans le
domaine hospitalier et en particulier chirurgical, la
musicothérapie donne de bons résultats en tant qu'anal-
gésie sonore. En effet, l'audition de musiques soigneusement sélectionnées avant l'opération calme l'opéré et
permet de diminuer les quantités d'anesthésiques habituels. Une méthode mise au point par Jacques Jost[1] est
particulièrement utilisée dans le cas d'opérations de
jeunes enfants. On utilise aussi de telles méthodes en
traumatologie, en chirurgie générale et en gynécologie
avant et pendant les opérations. De même, pour la
période postopératoire où d'habitude, après le réveil cli-
nique (des fonctions de bases physiologiques), le patient

---

1. *Équilibre et santé par la musicothérapie* (Éditions Albin Michel,
Paris).

est laissé à lui-même pendant la période difficile précédant le réveil psychologique effectif.

Un autre domaine où l'appréhension de la douleur est importante est celui de la préparation à l'accouchement. Elle se fait soit par sophronisation sonore, soit par relaxation sous induction musicale. La première méthode permet de réaliser une auto-analgésie par la femme enceinte elle-même. La deuxième aide celle-ci à avoir un meilleur contrôle corporel et une détente profonde au moment de l'accouchement.

La néonatalogie est un autre secteur d'application privilégié de la musicothérapie dans le cas des nouveaunés malades et des prématurés. À l'origine de cette initiative, Élisabeth Dardart, attachée au service de néonatalogie de l'hôpital d'Évry (Essonne) et membre du Centre International de Musicothérapie. Afin de compenser le traumatisme ressenti inévitablement par ces bébés surveillés en permanence, perfusés et subissant examen sur examen, elle a réalisé deux montages musicaux permettant d'atténuer l'impact émotionnel de cette médicalisation à outrance. Les parents peuvent aussi apporter leur propre musique écoutée pendant la grossesse qui a un effet positif sur les bébés.

La musicothérapie commence à entrer dans le cabinet du dentiste. Ainsi, des chirurgiens-dentistes et des stomatologues utilisent, et ce parfois dès la salle d'attente, des musiques relaxantes pour abaisser la tension des patients. L'état de détente qui en résulte permet de réduire à la fois l'anxiété et la douleur[1]. »

---

1. Article de Philippe Kerlome paru dans *Nouvelles Clés*, revue mensuelle, n° 22, mars-avril 1992.

Exercice n° 27 : Être à l'écoute des bruits

Installez-vous en position de relaxation. Dans un premier temps, vous allez porter votre attention sur les bruits les plus lointains que vous pouvez percevoir. Ne cherchez pas la nature de ces bruits, leur origine. Mettez-vous simplement à leur écoute. Pause.... Puis votre attention se porte sur les bruits autour de votre maison ou de votre immeuble. Pause... Les différents bruits de la pièce dans laquelle vous êtes. Pause... Les bruits dans votre corps, en particulier le son de votre respiration. Pause... Restez bien en contact avec ce son régulier, lent.

Exercice n° 28 : Le bourdonnement

Pour créer un climat de relaxation psychique, il vous est possible d'émettre des sons qui ont la propriété de transmettre des vibrations bénéfiques dans tout votre être.

Inspirez par le nez et, la bouche étant fermée, vous prononcez, en expirant, le son « AN », comme si vous émettiez ce son dans la gorge ; son qui ressemble au bruit que fait le bourdon.

Répétez une dizaine de fois cet exercice.

Exercice n° 29 : Le OM

Dans le vaste champ d'expérimentation que propose le yoga, il existe un ensemble de pratiques appelées japa-yoga. Il s'agit de répéter un mantra, c'est-à-dire un son psychique (pouvant être dit uniquement mentalement), qui non seulement a des effets profonds sur l'être, mais permet aussi une communion avec l'énergie cosmique[1].

---

1. Voir, de l'auteur : *Sports et yoga*, pages 172 et suivantes.

Parmi ces mantra, le OM est le plus connu et est celui qui remplace tous les autres.

En position de relaxation, répétez OM m m m m... sur les expirations, en prolongeant le son le plus longtemps possible. Sentez bien les vibrations qu'il entraîne et, pour mieux les sentir, n'hésitez pas à poser les mains sur la poitrine. Puis répétez le OM, cette fois-ci mentalement, et imaginez que vous en prolongiez le son jusqu'à l'infini[1].

Exercice n° 30 : Être à l'écoute d'une musique

Préparez un disque ou une cassette d'une musique douce et installez-vous dans la position de relaxation de votre choix. Après vous être relaxé avec l'un des exercices précédents, laissez-vous envahir par cette musique. Mettez-vous vraiment à son écoute en vous laissant pénétrer par elle ; comme si les vibrations sonores émises s'infiltraient dans tout votre être non seulement par les oreilles mais aussi par les pores, le crâne, les orteils...

Choisissez bien votre musique préférée car elle doit exercer sur vous un véritable massage physique.

H – SE RELAXER DANS LE MOUVEMENT

La relaxation dans le mouvement consiste en fait à utiliser un juste tonus. Pour cela, les gestes doivent être

---

1. Il existe deux possibilités de prononciation :
– OM m m m...
– ou A... Ou... Mmm...

effectués consciemment, sans précipitation. Pour s'entraîner et en même temps pour étirer toute la face postérieure du corps, nous vous proposons l'exercice suivant :

Exercice n° 31 : Relaxation dans le mouvement

1. Debout, jambes légèrement pliées, vous placez les bras tendus vers le ciel, dans le prolongement du dos. Les poignets souples, les doigts détendus.
2. Lentement, vous descendez les bras devant vous, bras légèrement pliés au niveau du coude, paumes tournées vers le sol, doigts et épaules détendus.
3. Quand les bras arrivent le long du corps, laissez-les pendre, en relâchant davantage vos épaules.
4. Laissez, très lentement, tomber la tête, menton vers la fourchette sternale.
5. Puis continuez cet enroulement, centimètre par centimètre, vertèbre après vertèbre, en laissant les bras toujours détendus.
6. Lorsque votre dos est entièrement enroulé (ventre sur les cuisses), vérifier bien le relâchement des épaules, du cou, des mâchoires, des doigts ; relâchement que vous pouvez accentuer à l'aide d'expirations accompagnées de soupirs.

Puis vous réalisez cet exercice en sens contraire.

Vous pouvez effectuer ce mouvement plusieurs fois sachant qu'entre la position 1 et la position 6, plusieurs minutes peuvent s'écouler. C'est à vous de choisir la vitesse d'exécution ; plus elle sera lente, plus elle vous permettra de sentir la globalité de votre être.

Puis, chaque jour, essayez d'adapter ce principe de mouvements au ralenti à différentes actions de la vie quotidienne.

I – Se relaxer grâce aux massages

Nous avons déjà évoqué («Se relaxer grâce à la conscience des contacts») l'importance du toucher en tant que récepteur sensoriel. Plus d'un demi-million de fibres sensorielles relient la peau à la moelle épinière. Mais c'est aussi une «zone protectrice et d'échanges, responsable de la protection mécanique du corps par sa résistance aux pressions. Elle assure aussi des fonctions complexes de régulation, régulation thermique (transpiration), protection contre la chaleur et le froid, isotonie (maintien de la concentration en eau de la cellule par l'abondance ou la restriction de la transpiration), respiration (1 à 2 % des échanges), immunité (protection contre les corps étrangers), synthèse de la vitamine D[1]».

Le massage est une pratique extrêmement simple et efficace. On la retrouve dans tous les pays et cela depuis des milliers d'années. 3 000 ans avant notre ère, des textes chinois parlent de cette discipline ainsi qu'en Inde, au Tibet, et dans l'ancienne Égypte. Hippocrate utilisait les massages pour soigner et prolonger la vie de ses patients. Mais, dès le Moyen Âge, ces pratiques ont été interdites du fait de leurs connotations sexuelles et du plaisir que le massé pouvait ressentir. Puis, progressivement, le massage est passé d'une pratique quotidienne, familiale, instinctive à une pratique exclusivement thérapeutique confiée uniquement à des spécialistes.

Mais, dès les années 70, l'influence de l'Orient a émergé via l'Amérique et en particulier la Californie. Petit à petit, face à notre société rationalisée, «tech-

1. *Massages pour bébé*, G. Soulier (Éditions Ellébore), page 34.

nicisée », « mécanisée », s'est révélée une prise de
conscience capitale : l'être humain habite un corps
qui est un univers énergétique extraordinaire ; s'intéresser à lui c'est pouvoir répondre aux questions exis-
tentielles de l'être humain, découvrir des valeurs
universelles, atemporelles ; l'harmoniser, en équilibrer les différentes fonctions, c'est pouvoir lutter effi-
cacement contre les risques de maladies et être mieux
armé pour faire face aux exigences de la vie quotidienne.

Il existe de nombreuses méthodes de massages (massages dits suédois, californiens, le do-in, le shiatsu...),
chacune utilisant un ensemble d'exercices plus ou
moins spécifiques : effleurages, pétrissages, frictions,
pressions, percussions, vibrations...

En cas de fatigue, de tensions, il n'est cependant pas
très facile de trouver un masseur ! C'est pourquoi l'automassage est une pratique très utile, et très simple à
apprendre. « Prendre en main sa santé, son destin
acquiert, dans ce cas, une pleine signification. En effet,
seules vos mains sont utilisées pour masser l'ensemble
de votre corps ou seulement une partie selon le temps
dont on dispose ou les effets recherchés. Mais cet automassage (appelé également do-in) agit aussi sur les
zones réflexes... l'originalité du do-in est d'agir à distance par ce que l'on appelle les zones réflexes. Il existe
des zones et points du corps – les points et méridiens
d'acupuncture en font partie – dont le massage active le
fonctionnement des organes internes. On connaît des
zones réflexes sous la plante des pieds, le long de la
colonne vertébrale, sur le crâne, dans l'oreille, etc. En
agissant sur l'ensemble de l'organisme – car l'automassage do-in s'effectue sur tout le corps –, les exercices

proposés vont améliorer le sommeil, apporter tout à la fois dynamisme et détente. C'est d'ailleurs cette action générale de mieux-être que ressentira, au début, le pratiquant.

Cela se traduira par la sensation d'être plus à l'aise dans son corps, plus efficace dans l'action, moins rapidement fatigué[1]. »

Exercice n° 32 : Automassage du visage

Ne vous êtes-vous jamais observé en train, spontanément, de vous masser le front alors que vous ressentez une légère fatigue ? Eh bien, comme monsieur Jourdain,

---

1. *Le do-in*, J.-L. Abrassart (Éditions Ellébore).

vous faites alors de l'automassage sans le savoir ! N'hésitez donc pas à aider votre corps, qui vous parle et qui, plus est, vous donne tout ce qui est nécessaire à votre santé, votre bien-être, en prime, il vous fournit même des outils : les mains.

Avant chaque automassage, frottez-les bien l'une contre l'autre jusqu'à ressentir une forte chaleur se dégager des paumes. Puis placez les doigts des deux mains au milieu du front et faites-les glisser doucement jusqu'aux tempes. Effectuez ainsi trois ou quatre glissés. Massez ensuite la zone des tempes grâce à de petits mouvements circulaires. Continuez votre automassage en appuyant légèrement sur les arcades sourcilières, puis les paupières. Glissez le bout des doigts de chaque côté du nez dans un mouvement de haut en bas et de bas en haut. Enchaînez par un pétrissage des joues et des pommettes. Effleurez vos lèvres avec le bout des doigts puis procédez de même avec le dessous de la mâchoire en partant du dessous des oreilles jusqu'au milieu du menton.

Portez votre attention sur les effets produits.

Vous pouvez également masser les oreilles : le pavillon, le lobe ainsi que l'intérieur de l'oreille (véritable acupuncture sans aiguille, cette méthode est d'ailleurs utilisée dans une optique thérapeutique).

Exercice n° 33 : Automassage des épaules et de la nuque

Vous avez sûrement remarqué qu'en cas de fatigue, de stress, des contractions, des tensions apparaissent dans des lieux bien précis de votre corps. Véritables barrages, blocages énergétiques, ils créent des sortes de blocs musculaires rigides et parfois douloureux.

Certains les ressentent dans la nuque, d'autres dans les épaules, d'autres encore dans le bas du dos. Mais ces contractions inutiles peuvent se loger partout : le front, les mâchoires, les fesses, les cuisses, les chevilles...

Prenez à pleine main le gros muscle, appelé trapèze, qui se situe entre le rond de l'épaule et le cou. Massez cette zone en la pétrissant plus ou moins doucement selon le degré de tension perçu. Agissez comme si vous prépariez une pâte à tarte. Massez également ainsi le cou, la nuque, d'un côté, puis de l'autre lorsque vous aurez changé de main.

Exercice n° 34 : Automassage de tout le corps

Selon le temps dont vous disposez, vous pouvez continuer ces automassages au niveau des jambes (cuisses et mollets, en particulier), des fesses, du bas du dos.

Vous pourrez terminer par un automassage des pieds, en particulier des plantes grâce à une pression ferme et continue des pouces (petits mouvements circulaires du bout des pouces, des talons jusqu'aux orteils que vous pouvez également masser, étirer un à un).

Bien évidemment, tous ces exercices peuvent être réalisés grâce à un(e) partenaire. Dans ce cas, le consentement doit être mutuel, il faut donc que le donneur ait vraiment envie de donner et que le receveur soit confiant.

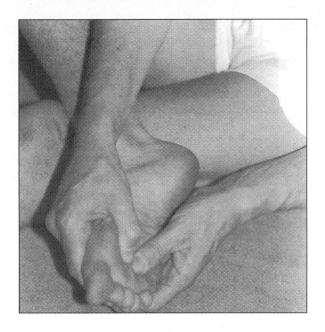

Exercice n° 34 bis : Automassage des pieds

J – SE RELAXER DANS LA VIE QUOTIDIENNE

Les occasions de se relaxer dans la vie quotidienne sont beaucoup plus nombreuses qu'on ne le croit généralement. Ce n'est qu'une question d'habitude et un zeste de volonté ; il suffit de dire « stop » au vagabondage du mental ou aux exigences du moment présent qui, globalement, peuvent bien souvent être repoussées de quelques minutes.

Exercice n° 35 : Bâillement et contraction/ décontraction naturelle

Que ce soit au réveil ou à n'importe quel moment de la journée, effectuez ce mouvement, tellement indispensable que vous le faites plusieurs fois par jour. Au lieu de le faire sans y penser, devenez conscient de ce mouvement.

Celui-ci se décompose en trois parties :

– **En inspirant**, par la bouche ouverte, les bras se lèvent puis se plient, et les poings serrés viennent se placer entre l'épaule et l'oreille.

– **En rétention poumons pleins**, vous contractez les épaules, les bras, les poings, le visage ainsi que le haut du dos. Celui-ci se redresse alors que votre poitrine est projetée en avant.

– **Vous expirez largement** par la bouche alors que les parties du corps précédemment citées se décontractent.

Maintenant, plutôt que d'attendre ce mouvement-réflexe, provoquez-le le plus souvent possible et, étant pleinement conscient des trois phases, tout votre organisme en tirera un très grand bénéfice.

Exercice n° 36 : Relaxation éclair

Si, par exemple, vous travaillez à votre bureau, prenez le temps, pendant quelques minutes, de placer votre front sur le dos des mains...

*Dans cette position, relaxez vos épaules, le cou,
les mâchoires et le dos. Expirez profondément, soupirez.
Puis, durant 2 ou 3 minutes, observez votre respiration.*

Autres positions pour la relaxation éclair

*Assis sur votre chaise, enroulez le dos de façon à amener
le ventre sur les cuisses, puis relâchez le cou et les bras.
Respirez calmement et, sur les expirations, laissez-vous
attirer par la pesanteur.*

Position dite « du cocher de fiacre ». Le dos des mains sur les genoux, laissez tomber la tête vers l'avant (d'où l'expression appropriée « piquer du nez »). Cette position étant celle des cochers de fiacres qui se reposaient et même dormaient ainsi entre deux courses, en attendant le retour de leur client.

Exercice n° 37 : La vigilance anticrispation

L'inattention et la précipitation sont les principales sources de crispations. Or, dans les actes de la vie quotidienne, il est tout à fait possible de les éviter. Comment ? En s'observant agir, en ayant une pleine conscience du geste. Il ne s'agit pas de « narcissisme » ou de « nombrilisme ». Moins fatigués, moins tendus, ne sommes-nous pas alors plus efficaces dans les tâches qui nous incombent et ne sommes-nous pas plus disponibles aux autres ?

Quelques exemples :

Souvent, au cours d'une conversation téléphonique, des doigts se crispent alors qu'ils ne devraient servir qu'à maintenir le combiné. Le dos s'affaisse ainsi que le cou, créant alors une surcharge de tension pour la colonne vertébrale.

Non seulement il faut s'installer correctement en voiture mais il est nécessaire, souvent, de relaxer les épaules et les doigts.

K – Mieux dormir grâce à la relaxation

Nous passons, en moyenne, le tiers de notre vie à dormir. Le sommeil est un besoin vital et personne ne peut s'en passer. La quantité de sommeil nécessaire est propre à chaque individu mais, en moyenne, nous savons qu'un nourrisson dort les deux tiers de son temps ; qu'à l'âge de quatre ou cinq ans, un enfant a besoin de 10 à 12 heures de sommeil ; que l'adulte dort environ 7 heures. L'important est d'être frais et dispos au réveil.

Plus on étudie le sommeil, plus il nous révèle ses nombreux mystères. Ce qui est certain, c'est que dormir n'est pas un état passif. Le cerveau est très actif pendant cette période et, grâce à l'électro-encéphalographie (étude des impulsions électriques issues du cortex cérébral) et à la myographie (enregistrement graphique de la contraction des muscles), on peut mesurer avec exactitude l'activité mentale et la tension subsistant dans les muscles pendant les différentes périodes de sommeil.

« Il nous faut environ 90 minutes pour atteindre le sommeil profond. Durant les premières minutes du sommeil, l'onde cérébrale présente encore les irrégularités typiques de l'état de veille. Lorsque notre sommeil devient plus profond, les ondes deviennent plus longues et plus grandes, entrecoupées de petites ondes en dents de scie. Ensuite, les ondulations s'élargissent encore. Au moment où le sommeil est le plus profond, le rythme cardiaque et la respiration sont lents et réguliers et les muscles sont complètement relâchés. Au cours de la nuit, nous passons de périodes de sommeil profond à

des périodes de sommeil plus léger entrecoupées de périodes de rêves[1]. »

Malheureusement, beaucoup de personnes sont victimes d'insomnie.

« La plupart du temps, l'insomnie est un phénomène d'autosuggestion. Rares sont ceux qui ne l'ont jamais connue, mais rares aussi sont ceux qui ne peuvent en venir à bout. Dans la plupart des cas, cet état est imputable à un facteur bien déterminé : régime alimentaire, anxiété, circonstances particulières ou, tout simplement, absence de fatigue.

L'environnement joue sans doute le rôle le plus important. Vous pouvez penser que vous êtes habitué au bruit – et vous pouvez en fait dormir la nuit entière – mais votre sommeil n'en sera pas moins troublé. Lorsque les bruits ne sont pas familiers, le sommeil est très perturbé. Il est bien connu, par exemple, que la mer gâche le sommeil de ceux qui n'y sont pas habitués.

Les mauvais lits sont souvent responsables des sommeils difficiles, ainsi que l'air confiné. Il n'est toutefois pas nécessaire de dormir toujours la fenêtre ouverte. Si votre pièce demeure fraîche, vous aurez assez d'air.

Le régime alimentaire influe également beaucoup sur le sommeil. Si vous prenez un repas copieux peu de temps avant de vous coucher, vous devez vous attendre à subir les manifestations classiques de la digestion ; le fromage et le café stimulent le cerveau (le fromage a une action chimique semblable à celle des amphétamines) ; l'alcool, comme les barbituriques, procure un sommeil pesant, qui ne repose pas.

---

1. *Le corps vivant*, K. Sabbagh, *op. cit.*, page 112.

Bien qu'ils soient très courants, les effets de l'angoisse sont moins nets. (Elle perturbe davantage le sommeil des femmes que celui des hommes, et davantage celui des hommes mariés que celui des célibataires.) Chacun d'entre nous, homme ou femme, doit réaliser qu'à certains moments on a trop de soucis pour bien dormir : cela n'est pas grave. Mais il y a une différence importante entre diminuer la durée du sommeil de moitié pendant quelques jours consécutifs, une ou deux fois l'an, et le perdre en grande partie plusieurs semaines d'affilée. Vous devez alors agir pour relâcher votre tension nerveuse, notamment en apprenant à vous relaxer. Les médicaments ne résolvent rien et il convient de ne les prendre qu'en dernier ressort[1]. »

En fait, le problème du sommeil peut être traité de trois manières :

- – Préparer son sommeil grâce à une saine dépense d'énergie, une alimentation correcte. Mais cela ne suffit pas toujours.
- – S'aider à l'endormissement et à augmenter la qualité du sommeil grâce à différentes techniques que nous allons décrire.
- – Ne pas être l'esclave de réveils fréquents ou de rêves désagréables.

Nous ne prétendons pas, par ce chapitre, résoudre tous les problèmes liés au sommeil ; et encore moins donner des recettes-miracles ! Nous souhaitons seulement vous inciter à expérimenter les exercices proposés afin de devenir chercheur et surtout d'essayer de traiter les causes de tel ou tel dysfonctionnement.

---

1. *Le livre guide de la vie quotidienne*, Éditions Laffont, page 101.

Exercice n° 38 : Relaxation globale

Une fois installé dans votre lit, vous utilisez l'une des techniques de relaxation précédemment décrites, en particulier :
- l'exercice n° 4 : contractions/décontractions affinées et progressives,

et/ou :
- l'exercice n° 8 : conscience affinée des contacts (d'où l'intérêt de choisir des draps qui vous plaisent vraiment, tant au niveau de la texture que de la couleur),

et/ou :
- l'exercice n° 11 : conscience affinée de tout le corps.

Exercice n° 39 : Imiter la respiration du sommeil

À force de pratiquer cet exercice, chacun doit pouvoir trouver son propre rythme. Ce qu'on peut observer, en cas d'insomnie, c'est le vagabondage du mental. Afin de domestiquer ces cogitations inutiles, l'attention va se porter sur la respiration. Déjà, au bout de quelques instants, l'agitation mentale cesse. Introduisez-vous alors dans un rythme respiratoire caractéristique du sommeil : une inspiration courte – une longue expiration – une apnée poumons vides.

Persévérez chaque soir dans l'accomplissement de ce rituel et laissez-vous entraîner dans un sommeil bénéfique et réparateur.

Exercice n° 40 : Suggestions positives

Nous avons déjà évoqué au chapitre « Se relaxer grâce à la suggestion consciente » l'intérêt de cette pratique (ex. n° 19 et n° 20).

Après vous êtes relaxé, vous répétez plusieurs fois :
– « je m'endors facilement et profondément »,
ou – « la nuit va être longue et reposante »,
ou – « je vais dormir d'une traite »,
ou – « au réveil, je serai en pleine forme ».

Faites ensuite confiance à l'intelligence de votre corps et laissez agir votre inconscient (d'ailleurs très actif la nuit).

Exercice n° 41 : La programmation

Qu'est-ce qu'une mauvaise habitude, si ce n'est tout simplement un conditionnement néfaste à notre santé ? Bien sûr nous ne sommes ni des robots ni des machines mais de nombreuses habitudes, parfois remontant à la petite enfance, nous guident dans les actes quotidiens : mange-t-on parce que nous avons réellement faim ou par habitude ? Regarde-t-on la télévision parce qu'un programme nous intéresse ou appuie-t-on sur le bouton par habitude ?

Et si vous observez votre sommeil, vous vous apercevrez que vous vous réveillez pratiquement à la même heure, chaque matin, sans même avoir besoin d'un réveil. Encore une fois, il s'agit d'un conditionnement.

Maintenant, expérimentez cet exercice : après vous être introduit en état de relaxation, vous programmez l'heure de votre réveil. Comment ? En répétant mentalement « je me réveillerai à telle heure, en pleine forme ». En même temps, vous visualiserez l'heure sur le cadran de votre réveil. Il se pourrait même que vous réussissiez dès le premier essai.

Vous pouvez également programmer vos rêves. Il suffit pour cela d'utiliser les techniques de visualisation (ex. n° 12 à 18). Car, en fait, un rêve n'est qu'une série d'images, paraissant plus ou moins incohérentes, qui se présentent à l'esprit durant le sommeil. Or, avec de l'entraînement, il est tout à fait possible d'agir sur ses rêves, en donnant un ensemble d'instructions au cerveau. Voici d'ailleurs ce que rapporte Bernard Werber[1] :

« Au fin fond d'une forêt de Malaisie vivait une tribu primitive, les Senoïs. Ceux-ci organisaient toute leur vie autour de leurs rêves. On les appelait d'ailleurs "le peuple du rêve".

Tous les matins au petit déjeuner, autour du feu, chacun ne parlait que de ses rêves de la nuit. Si un Senoï avait rêvé avoir nui à quelqu'un, il devait offrir un cadeau à la personne lésée. S'il avait rêvé avoir été frappé par un membre de l'assistance, l'agresseur devait s'excuser et lui donner un présent pour se faire pardonner.

Chez les Senoïs, le monde onirique était plus riche d'enseignements que la vie réelle. Si un enfant racontait avoir vu un tigre et s'être enfui, on l'obligeait à rêver de nouveau du félin la nuit suivante, à se battre avec lui et à le tuer. Les Anciens lui expliquaient comment s'y prendre. Si l'enfant ne réussissait pas, ensuite, à venir à bout du tigre, toute la tribu le réprimandait.

Dans le système de valeurs senoï, si on rêvait de relations sexuelles, il fallait aller jusqu'à l'orgasme et

---

1. *Le jour des fourmis*, *op, cit.*, pages 238, 239.

remercier ensuite dans la réalité l'amante ou l'amant désiré par un cadeau. Face aux adversaires hostiles des cauchemars, il fallait vaincre puis réclamer un cadeau à l'ennemi afin de s'en faire un ami. Le rêve le plus convoité était celui de l'envol. Toute la communauté félicitait l'auteur d'un rêve plané. Pour un enfant, annoncer un premier essor était un baptême. On le couvrait de présents puis on lui expliquait comment voler en rêve jusqu'à des pays inconnus et en rapporter des offrandes exotiques.

Les Senoïs séduisirent les ethnologues occidentaux. Leur société ignorait la violence et les maladies mentales. C'était une société sans stress et sans ambition de conquête guerrière. Le travail s'y résumait au strict minimum nécessaire à la survie.

Les Senoïs disparurent dans les années 1970, quand la partie de la forêt où ils vivaient fut livrée au défrichement. Cependant, nous pouvons tous commencer à appliquer leur savoir.

Tout d'abord, consigner chaque matin le rêve de la veille, lui donner un titre, en préciser la date. Puis en parler avec son entourage, au petit déjeuner par exemple, à la manière des Senoïs.

Aller plus loin encore en appliquant les règles de base de l'onironautique. Décider ainsi avant de s'endormir du choix de son rêve : faire pousser des montagnes, modifier la couleur du ciel, visiter des lieux exotiques, rencontrer les animaux de son choix.

Dans les rêves, chacun est omnipotent. Le premier test d'onironautique consiste à s'envoler. Étendre les bras, planer, piquer, remonter en vrille : tout est possible.

L'onironautique demande un apprentissage progressif. Les heures de "vol" apportent de l'assurance et de *l'expression. Les enfants n'ont besoin que de cinq semaines pour pouvoir diriger leurs rêves. Chez les adultes, plusieurs mois sont parfois nécessaires. »*

L – Relaxation pour les femmes enceintes

Il n'y a aucun problème à ce que les femmes enceintes, pendant toute la grossesse, continuent leurs pratiques corporelles habituelles : yoga, stretching, gym douce.... Leur moniteur doit adapter les postures et exercices en fonction de la période (3, 6, 9 mois de grossesse), et tenir compte de l'avis du médecin ou du gynécologue.

Par contre, si une femme souhaite débuter une activité pendant la grossesse, alors la relaxation est exactement ce qu'il lui faut.

Exercice n° 42 : Prise de conscience des trois étages respiratoires

Placez les mains sur le ventre et respirez tranquillement dans cette région (5 ou 6 respirations). Placez ensuite les mains sur les côtes (5 ou 6 respirations), puis en haut de la poitrine, sous les clavicules (5 ou 6 respirations). Effectuez une respiration complète : longue inspiration du nez jusqu'au ventre ; continuez l'inspiration dans la région des côtes puis dans le haut de la poitrine. En expirant, laissez s'affaisser la région abdominale, et laissez venir un soupir.

Répétez 5 à 6 fois cette respiration complète.

Exercice n° 43 : Dialogue avec l'enfant

L'enfant est nourri dans le ventre de sa mère, mais pas seulement d'aliments nécessaires à sa croissance. Les pensées, qui sont des énergies subtiles, « nourrissent » véritablement le psychisme de l'enfant à naître. L'envoi de suggestions positives ne peut que contribuer à son plein épanouissement. Ces affirmations doivent être sincères et peuvent être répétées mentalement en harmonie avec la respiration.

Exemples :
- en inspirant : « tu es magnifique » ; en expirant « vraiment magnifique »,
- en inspirant : « je te donne mon amour » ; en expirant : « tout mon amour »,
- en inspirant : « nous sommes tous les deux merveilleusement bien » ; en expirant « merveilleusement bien ».

Exercice n° 44 : Visualisations positives adaptées

Le principe est le même que celui décrit au chapitre précédent (« Se relaxer grâce à la visualisation », exercices n° 12 à n° 18). Mais cette fois votre visualisation se concentrera sur l'enfant, dans votre ventre. Ces visualisations peuvent s'accompagner de pensées positives décrites précédemment.

Exemples de visualisation :

- en inspirant : vous absorbez par le nez une lumière chaude, éclatante et légèrement bleutée. En expirant, cette lumière envahit votre ventre et l'être qui s'y trouve,
- vous imaginez vos cellules dans la région de l'abdomen, lumineuse, en pleine santé, fonctionnant à merveille,
- vous imaginez l'enfant que vous portez, souriant, et vous lui rendez son sourire,
- en état de relaxation, imaginez que votre enfant se relaxe également.

Exercice n° 45 : Le centre de l'univers

En position de relaxation, posez les mains sur le ventre. Ce n'est plus vous qui respirez mais l'univers tout entier. À chaque inspiration, toute l'énergie cosmique envahit votre ventre, à chaque expiration, tous vos soucis, vos tensions, vos pensées négatives quittent votre ventre et sont chassés vers l'espace infini.

M – RELAXATION POUR LES ENFANTS

Très tôt, les enfants peuvent s'initier à la relaxation. Intervenant dans les écoles, dans le cadre des A.T.E. (Aménagement du Temps de l'Enfant), nous avons la preuve que, dès quatre ans et demi, les notions de contraction, de décontraction, de relaxation peuvent être expérimentées sans problème. Bien entendu, les exercices doivent être adaptés ainsi que le vocabulaire. Une présentation ludique convient parfaitement à cette initiation, comme nous l'ont confirmé les nombreux enseignants ayant participé à nos stages de « techniques de bien-être pour les enfants », ou qui ont mis en pratique les quelque 300 exercices proposés dans « Yoga et expression corporelle pour enfants et adolescents ».

Exercice n° 46 : La vague

Jambes légèrement pliées, dos étiré, les enfants miment, à l'aide de leur bras, le va-et-vient de la mer sur la plage. Le flux est représenté par le soulèvement des bras, à hauteur des épaules ; le reflux par la descente lente des bras, les paumes tournées vers le sol, « caressant » le sable de la plage. Peut se greffer par la suite un rythme respiratoire (inspiration en levant les bras, expiration en les baissant).

Exercice n° 47 : La pâte à modeler

1. Un enfant lève le bras d'un autre enfant, devenu de « la pâte à modeler ». Celui-ci doit se laisser faire. Dans un premier temps, le « sculpteur » lève le bras puis le laisse tomber afin de faire prendre conscience au « sculpté » de la notion de contraction (ou « dur ») et de décontraction (relaxation ou « mou »).

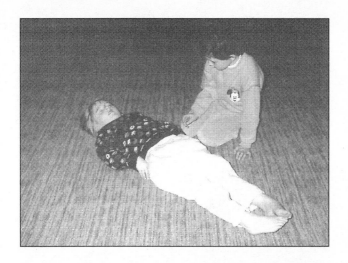

2. Puis, dans un deuxième temps, le sculpteur installe son partenaire dans n'importe quelle position.

Exercice n° 48 : La petite graine

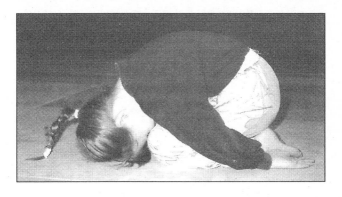

C'est l'hiver, une petite graine se blottit dans la terre...

Exercice n° 49 : La poupée de chiffon

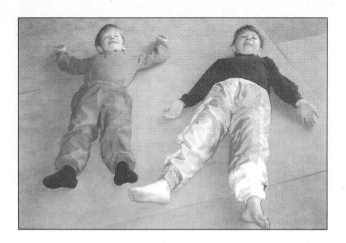

Faire découvrir très tôt la relaxation aux enfants. Dans cette attitude d'écoute, tout est alors possible... « Tu deviens comme une poupée de chiffon... »

Pour la relaxation, il ne faut pas hésiter à employer de la musique douce si, par ce biais, peuvent surgir le calme et la tranquillité.

Quelques positions de relaxation

Positions de relaxation prises spontanément lors d'une séance dans une école (dans le cadre des A.T.E.).

Représentation d'une fleur... qui se relaxe... ! (trouvaille spontanée des enfants au cours de la séance suivante).

N – RELAXATION, APPRENTISSAGE ET CRÉATIVITÉ

Les différentes théories de l'apprentissage nous parlent toutes de l'importance de l'attention dans le processus de mémorisation. En effet, pour apprendre, il est nécessaire que l'individu soit dans une position de juste tension afin d'être ouvert, à l'écoute, disponible à l'objet d'étude (ou disponible pour donner une réponse juste quand il s'agit d'une mise en situation, dans le cas d'une formation pratique, par exemple).

Cette ouverture et cette disponibilité seront d'autant plus importantes que l'individu se sera libéré de ses tensions et de tous les obstacles qui ne peuvent que diminuer ses aptitudes : crispation, énervement, stress trop important...

Les techniques respiratoires et de relaxation permettent d'obtenir cet état d'attention.

Exercice n° 50 : Relaxation et concentration

Après une relaxation éclair (ex. n° 10 ou n° 33), en respirant calmement, vous fixez votre attention au milieu de votre front (environ un centimètre au-dessus de la racine du nez).

Exercice n° 51 : Relaxation et mémorisation

Après une relaxation éclair, les yeux fermés, vous projetez, sur votre écran frontal, le texte ou le geste à mémoriser ; comme si vous souhaitiez le voir « imprimé » ou dessiné définitivement.

Exercice n° 52 : La pleine confiance

Si vous butez sur un problème ou qu'un obstacle vous empêche de progresser dans votre pratique (professionnelle ou de loisirs), installez-vous confortablement en position de relaxation et voyez-vous en train de réussir l'action correspondante.

Ce sera, par exemple, pour un sportif, la visualisation d'un saut à la perche à 5,50 mètres s'il plafonne à 5,40 mètres.

Un musicien, quant à lui, se verra en train de jouer avec beaucoup de facilité le passage d'une partition qui lui pose problème en ce moment.

Le principe est, en fait, de créer un scénario, une visualisation positive afin de se donner toutes les chances de réussite.

Exercice n° 53 : Laissez vibrer votre corde artistique

La création artistique reste un grand mystère. Certains disent qu'il s'agit d'un don, d'autres affirment qu'elle est le résultat d'un travail. En fait, les deux points de vue sont justes, mais on ne parle pas de la même chose. Il est nécessaire, effectivement, de beaucoup travailler l'outil utilisé, qui n'est qu'un moyen pour exprimer ce que l'on ressent, ce que l'on est, ce que l'on pense...

Travailler l'écriture, si l'on s'exprime grâce au roman, à la rédaction d'articles, de scénario ou de pièces de théâtre ; travailler son « coup de crayon », son « coup de marteau », la technique de la caméra, sa voix et son geste selon que l'on souhaite aborder le dessin, la peinture, la sculpture, le cinéma ou le théâtre...

Alors l'expression sera facilitée et la création pourra surgir. Un don ? Une inspiration ? La question reste entière. Ce qui est sûr, c'est que cette expression artistique touchera plus fortement, qu'elle sera l'œuvre d'un être vrai, authentique, profond. L'artiste s'est laissé « imprégner » d'une multitude d'« impressions » qu'il redonne ensuite après avoir laissé faire l'alchimie intérieure. Or, en état de relaxation (ou de méditation), c'est l'être intérieur qui « prend les commandes » et tout devient juste, spontané, et l'expression, entièrement libre, n'est plus « parasitée ».

Installez-vous en état de relaxation (ou de méditation). Puis, quel que soit votre moyen d'expression, laissez surgir la création ; devenez le spectateur de cette force qui s'exprime à travers vous, qui n'est qu'une manifestation, parmi d'autres, de l'énergie universelle. Plus vous laisserez agir celle-ci, plus votre œuvre sera forte et belle.

Puis, «une fois l'œuvre accomplie, retire-toi, telle est la loi du ciel» (Lao-Tseu).

O – RELAXATION, STRESS ET THÉRAPIE

André Van Lysebeth cite, dans sa revue *Yoga*[1], l'histoire de l'une des participantes à l'un de ses stages, qui a un kyste hémorragique. Il lui suggère alors, «chaque jour, de s'intérioriser là où se situe le kyste». Quatre mois plus tard, cette participante raconte :

«J'ai fait ce que vous m'avez dit, c'est-à-dire que je me suis intériorisée chaque jour à l'endroit où je sentais la présence du kyste et chaque fois jusqu'à ce que je sente toute la région bien chaude. Après peu de temps, les saignements ont commencé à diminuer puis ont cessé et cela m'a encouragée à poursuivre. Plus tard, quand je suis allée revoir mon gynécologue, celui-ci, stupéfait, n'a pu que constater la disparition du kyste. M'ayant demandé ce que j'avais fait, je lui ai exposé ce qui précède : il a été surpris et même vexé d'apprendre que je n'avais même pas commencé à appliquer le traitement qu'il m'avait prescrit. Mais, a-t-il dit, puisqu'il n'y a plus rien, c'est tant mieux !»

Ce cas de guérison «spontanée» n'est pas unique et ne fait que confirmer l'extraordinaire puissance du mental ; en fait ce phénomène n'est que l'application d'une loi incontournable : là où le mental va, l'énergie va.

Les observations faites sur des centaines de malades par Carl Simonton, radiothérapeute spécialisé en cancé-

---

1. Revue *Yoga,* n° 235, pages 45 et 46.

rologie, et Lawrence Le Shan, psychothérapeute, ainsi que les découvertes scientifiques faites par le professeur Soulairac, de Cochin Port-Royal, ont démontré l'importance du psychisme sur l'immunité de l'organisme. Grâce à notre système immunitaire la plupart de nos maladies potentielles guérissent d'elles-mêmes. Pourquoi ces mécanismes d'autoguérison ne fonctionnent-ils pas toujours ?

Les études expérimentales faites par Hans Seyle, sur le stress, ont mis en évidence l'influence du stress sur le déclenchement des maladies.

La maladie a un sens : c'est le message envoyé par notre corps pour nous signaler que nous avons dépassé notre seuil d'adaptation, soit sur le plan physique, soit sur le plan psychique.

Les agents stressants externes ou internes, physiques et psychologiques sont tellement multiples et nombreux que nous ne pouvons y échapper.

Cependant, nous pouvons apprendre à les gérer et à développer de nouveaux modes de réaction. (Une bouteille, remplie à moitié, peut être vue comme à demi pleine ou à demi vide.)

Pourquoi, avec le même diagnostic médical au départ, certains malades guérissent et d'autres voient leur état s'aggraver ?

L'attitude mentale, face à la maladie, permet aux premiers de croire à la guérison et de mettre tout en œuvre pour l'obtenir, alors que les seconds se laissent envahir par elle.

Pour améliorer ses chances de guérison, il faut que le malade se prenne en charge et croie à une victoire possible de l'organisme sur la maladie.

Les techniques de relaxation et de visualisation positive sont d'excellents outils de gestion du stress. Elles permettent, si leur pratique est régulière, d'améliorer l'état de santé du malade, voire d'arriver à la guérison (tout aussi bien que d'améliorer son revers au tennis ou d'augmenter ses chances de réussite à un examen, cf. préparation de Killy aux jeux Olympiques).

La relaxation musculaire est un conducteur pour rendre l'organisme plus réceptif aux messages que lui envoie le cerveau parce qu'elle abaisse les tensions et le rythme de l'activité électrique cérébrale (passage du rythme d'ondes bêta en ondes alpha).

Visualiser signifie se représenter quoi que ce soit sous forme d'images mentales (par exemple : Killy s'imagine en train de skier, le malade voit ses globules blancs lutter contre les microbes, etc.).

La visualisation positive permet la mise en œuvre consciente d'un programme d'informations positives sous forme d'images mentales, véhicules privilégiés d'information. Lorsqu'une situation est « imaginée », elle mobilise les même circuits neurologiques que la mise en acte réelle. Il y a seulement différence au niveau de l'intensité enregistrée. Imaginer qu'on agit sur le corps c'est déjà agir sur lui.

Ainsi, visualiser le processus de sa guérison est un moyen efficace pour déclencher dans le corps physique une mise en acte, qu'il s'agisse de réduire une inflammation, d'éliminer des cellules indésirables, de libérer des circuits bloqués, etc.

La répétition des exercices de relaxation-visualisation crée un conditionnement et développe l'aptitude à la pensée positive.

Ce ne sont pas tant les événements en eux-mêmes qui comptent mais plutôt la façon dont nous réagissons. La maladie peut être un « messager » qui tire la sonnette d'alarme pour nous permettre de réfléchir sur notre mode de vie et découvrir les vraies valeurs.

Les techniques de relaxation peuvent être aussi extrêmement utiles face à la douleur. Nous citerons Anne-Marie Carlier qui expose d'une façon claire et précise son expérience auprès des malades[1] :

« Dans le traitement de la douleur, la relaxation est une technique que l'on propose souvent aux patients lorsque leur douleur est liée à une tension musculaire, ou lorsqu'il s'agit de lutter contre l'anxiété qui l'accompagne. En effet, la douleur est considérée comme une cause de stress importante, et on sait qu'une douleur qui dure génère un certain nombre d'émotions négatives et d'affects désagréables (tristesse, peur du diagnostic, peur de l'avenir...). Ceux-ci, à leur tour, fragilisent l'individu et entraînent une réactivité exagérée aux autres causes de stress et d'anxiété, nombreuses dans le vécu d'une maladie grave comportant des traitements difficiles (soucis familiaux, socioprofessionnels...). Les gens "se raidissent" pour faire face, mais, loin de les aider, cette tension généralisée accentue la douleur et favorise son entretien. Il se crée un cercle vicieux entre la douleur, la tension musculaire, l'anxiété et le stress que la relaxation tente de briser en agissant au niveau de la tension musculaire. Ce relâchement volontaire du tonus musculaire contribue à diminuer la tension émotionnelle, ce qui réduit l'anxiété et augmente le seuil de tolérance à la douleur. »

---

1. Revue *Soins,* n° 568, janvier 1993, pages 43, 44 et 45.

Comment intégrer la relaxation dans la pratique infirmière ?

« La condition préalable à toute utilisation de cette technique est bien évidemment d'en avoir une expérience personnelle pour comprendre et suivre ce que le patient ressent.

On peut l'utiliser soit de façon ponctuelle pendant les soins avec des exercices très simples, soit sous forme d'apprentissage régulier en six ou huit séances dans le cadre d'une consultation. »

Utilisation pendant les soins

« Soigner des malades envahis par la douleur, effectuer des soins douloureux, préparer les patients à des gestes douloureux... la confrontation avec la douleur est un aspect pénible et éprouvant de notre travail. Dans le cas d'un patient soudain très douloureux, il faut attendre une prescription médicale, puis que le médicament analgésique fasse effet. C'est parfois insupportable : on regarde alors sans arrêt sa montre, on rappelle le médecin... et le patient reste envahi par sa douleur et sa détresse. Le faire respirer calmement, se concentrer sur la décontraction d'un bras ou du visage permet de traverser moins dramatiquement ce moment. La relaxation présente dans ce cas un double intérêt : moyen de maîtrise de la douleur pour le patient et manière de conjurer l'angoisse et l'impuissance du soignant.

Elle peut aussi complètement modifier une relation de soin. Une sédation médicamenteuse n'est pas toujours possible dans les soins douloureux et, pour éviter l'appréhension et l'anticipation de la douleur, des exercices de relaxation peuvent se révéler une aide efficace. Cette technique nous oblige à installer confortablement le patient, à détourner son attention des soins et à le mettre dans des conditions où il se sent en sécurité, car il sait que sa douleur est prise en compte et qu'il existe un moyen de maîtrise sur sa recrudescence potentielle. Le soignant peut alors utiliser ce temps pour se mettre à l'écoute du corps du malade, pour mieux penser et adapter ses gestes en apprivoisant ses propres inquiétudes.

La douleur est souvent un obstacle à l'endormissement et, là aussi, la relaxation est un atout précieux. »

L'apprentissage

« La condition essentielle est l'accord du patient. Il faut bien expliquer qu'il s'agit d'une aide pour mieux faire face à la douleur. Il ne faut surtout pas laisser penser qu'on pourrait lui attribuer une origine psychologique ou que la relaxation serait susceptible de remplacer le traitement antalgique. Par ailleurs, cet apprentissage ne peut commencer quand la douleur est trop importante, et l'infirmière ne doit pas utiliser cette technique avec des patients atteints de troubles psychiatriques.

Il est nécessaire de pratiquer une évaluation de départ pour savoir ce que les gens connaissent de la relaxation, leurs possibilités de concentration et leur niveau de tension pour déterminer la durée des séances (cinq à vingt minutes) et le choix de la méthode. Une séance trop longue ou trop statique au départ peut donner un sentiment d'échec et augmenter l'anxiété. Quand le patient réagit bien, on peut lui donner une cassette pour qu'il puisse s'entraîner régulièrement. »

Les bénéfices

« La relaxation est un moyen pour :
– améliorer le sommeil et diminuer la fatigue,
– détourner l'attention de la douleur,
– devenir plus autonome face à une douleur et à ses
variations d'intensité,
– restaurer une confiance en soi et prendre appui sur
ses ressources intérieures,
– d'une certaine manière, pour se réapproprier son
corps (une douleur qui dure draine toute l'attention
sur la zone douloureuse et, tandis que cette zone
devient omniprésente, les autres parties du corps
perdent de leur importance) en percevant de nou-
veau le corps dans sa totalité.
Cette nouvelle présence au corps, ce renforcement
de soi par une attitude active où l'on affronte et l'on
subit moins, peut donc considérablement modifier le
ressenti de la douleur et en diminuer les facteurs d'en-
tretien et d'amplification. D'un grand bénéfice pour le
patient, c'est aussi une bonne préparation pour l'infir-
mière quand elle doit faire face à des situations diffi-
ciles. »

Exercice n° 54 : Suggestions pour la santé

En position de relaxation, vous utilisez l'un des exercices décrits précédemment puis, mentalement, vous
répétez :
    – « Je suis en parfaite santé »,
ou – « Ma vitalité ne cesse d'augmenter »,
ou – « J'absorbe l'énergie universelle qui me donne
      guérison et santé ».

Exercice n° 55 : Visualisation pour la santé

En position de relaxation, vous visualisez, au centre de votre corps, un soleil magnifique qui irradie tout votre être de ses rayons bénéfiques. Voir également les exercices n° 24 et n° 25.

Exercice n° 56 : Visualisation et suggestion en cas de maladie

Comme cité dans l'exemple de cette jeune femme ayant un kyste, vous vous intériorisez, en état de relaxation, et vous portez votre attention sur l'endroit du corps malade. Ou bien vous visualisez votre « système immunitaire » en pleine action en train de ramasser les cellules mortes ou en passe de mourir.

« On demande aux patients de visualiser l'armée de globules blancs en cours de formation, se déployant sur le cancer et emportant les cellules malignes qui ont été affaiblies ou tuées par les barrages de particules d'irradiation de haute énergie envoyées par la machine de cobalt, l'accélérateur linéaire ou d'autres sources[1]. »

En cas de souhait d'arrêter de fumer, de se droguer ou de boire, la technique d'autosuggestion peut être employée, à condition que l'on soit motivé et persévérant. On se répétera, en état de relaxation : « fini la cigarette », ou « fini l'alcool », puisqu'il s'agit de reconditionner une mauvaise habitude, comme nous en avons déjà parlé à l'exercice n° 38.

Nota : bien évidemment, ces conseils et exercices n'excluent pas le traitement médical. L'idéal étant de

---

1. *Yoga nidra*, S. Satyananda, *op. cit.*, page 174 (à propos des recherches du Dr Simonton).

tout faire pour éviter un dysfonctionnement énergétique, c'est-à-dire de rester toujours en HARMONIE.

Grâce à la relaxation, partez alors à la découverte de vos propres rythmes et de ceux de l'univers ainsi que des lois qui régissent toute chose.

P – RELAXATION ET CONNAISSANCE DE SOI

Quel est ce corps que j'habite ? Comment fonctionne-t-il ? Quelle nourriture convient le mieux à son développement ? Qu'est-ce qui me pousse à agir de telle ou telle façon ? D'où viennent mes pensées, comment sont-elles fabriquées ?

Essayer de répondre à ces questions n'est pas du tout du « nombrilisme » car, une fois cette intériorisation, cette recherche effectuée, le voile des illusions se déchire et nous pouvons voir la réalité en face. Vivre dans l'illusion ne peut que créer un décalage de plus en plus important avec le moment présent et l'insatisfaction qui en naît ne peut créer que de la déception, de la rumination, du découragement et risque d'engendrer du stress.

Être plus lucide c'est aussi être plus libre. Ne suis-je pas une sorte d'esclave si je me laisse guider uniquement par « mes » désirs, « mes » pensées ? Suis-je vraiment un être libre alors que je ne peux m'empêcher de fumer, ou d'abuser d'alcool, de café ou de drogues ?

« Se centrer n'est pas une attitude égoïste mais un moyen de se ressourcer et donc ensuite d'être plus disponible aux autres. Il s'agit même d'un grand respect d'autrui, d'une preuve d'amour pour son entourage que d'essayer de lui faire partager un esprit positif dans un

« véhicule » corporel sain, dynamique, ouvert et rayonnant de vitalité. Pourquoi faire subir aux personnes que j'aime mes difficultés, qui du reste sont souvent passagères, mes angoisses, alors qu'elles-mêmes doivent déjà répondre à toutes les exigences, les contraintes de la vie ?

La relaxation peut être un excellent moyen pour faciliter cette habitude à l'introspection et, comme nous l'avons vu, permet au mental de « positiver » grâce à la visualisation ou à l'autosuggestion.

Nous vous proposons quelques exercices qui vont vous permettre de faire véritablement « la lumière en vous ». Vous vous installerez en position allongée sur le dos, puis vous vous relaxerez avec les exercices du chapitre « cheminement de la conscience » ou « conscience des contacts ».

Exercice n° 57 : Le cheminement des pensées

Une fois bien relaxé, laissez surgir une pensée, n'importe laquelle. Puis observez comment se fabriquent ce qu'on nomme les associations d'idées. Prenez conscience que ces mots ou ces images qui vous traversent l'esprit sont « stockés » dans votre mémoire. L'habitude de leur observation va vous permettre, petit à petit, de devenir un spectateur averti de cette production qui se déroule tel un film.

Exercice n° 58 : Observer la naissance d'un désir

Tels les tentacules d'une pieuvre, nos sens veulent s'accaparer des objets de désir. Combien d'entre eux sont vraiment utiles ? Leur appropriation ne satisfait-elle pas une envie futile et illusoire ? Mais le pire est de se rendre malheureux pour satisfaire un désir. Ne nous comportons-nous pas alors comme un enfant capricieux ? Parfois même, on se laisse envahir par cet unique désir du moment et l'envie devient alors obsessionnelle.

Toujours donc en position de relaxation, considérez votre désir actuel comme quelque chose d'étranger et non pas comme une partie intégrante de vous-même. Observez-le tel un scientifique étudiant un objet quelconque : comment s'est-il formé ? Pourquoi surgit-il aujourd'hui ? Est-il indispensable à notre équilibre ? Ne cherchez-vous pas, à travers la satisfaction de ce désir, à compenser un manque plus profond, un stress, une angoisse passagère ? Avez-vous réfléchi aux conséquences de la satisfaction de ce désir ? Et après la satisfaction de ce désir, un autre ne va-t-il pas naître, puis encore un autre ? N'avez-vous pas alors l'impression d'être le jouet d'une espèce de manège vous entraînant au gré des lumières et de la musique ?

Grâce à votre habitude de la relaxation, concentrez-vous sur votre corps, votre respiration et les désirs disparaîtront comme par enchantement pour laisser la place à une profonde sérénité.

Exercice n° 59 : Observation d'un souci, d'un problème

« Tout arrive, tout passe, tout s'efface. » Cet adage est vrai et doit vous servir à être plus fort afin de résoudre au moins l'obstacle qui vient perturber votre équilibre, votre harmonie.

Faites l'effort de vous relaxer puis employez la technique des scénarios. Voici en quoi consiste cet exercice :

Lorsque nous recherchons une solution à un problème, nous avons l'habitude de ne pas prendre en compte TOUTES les solutions possibles. En effet, nous pensons aussitôt aux contraintes liées à chacune des solutions trouvées.

Pour cet exercice, au contraire, ne vous occupez pas de ces contraintes. Essayez seulement de penser à tous les scénarios possibles et imaginables pour régler votre problème actuel.

Mais pourquoi avoir besoin d'être en relaxation pour effectuer cette démarche ?

Tout simplement parce que, le mental n'étant plus agité, vous pouvez y voir beaucoup plus clairement, de la même façon que vous pouvez observer plus facilement le fond de la mer si celle-ci est calme.

Prenons l'exemple d'une situation, qui est, de nos jours, de plus en plus fréquente :

Suite à un licenciement, vous devez vous inscrire au chômage. Plutôt que de se morfondre, d'abandonner tout espoir, employez la technique du scénario : quelles sont, maintenant, toutes les possibilités qui s'offrent dans cette nouvelle situation ? J'entame une nouvelle formation, je recherche un nouvel emploi dans la même activité, je change de profession, je pars à l'étranger ; marié, j'arrête de travailler et notre couple dépense moins, je prends quelques mois de repos pour faire le point, je vends tout ce que je peux... Bien évidemment vous trouvez que certaines de ces propositions sont absurdes ou impossibles à réaliser. Mais, pour le moment, ne vous en préoccupez pas : recherchez toutes les solutions, rien que des solutions, encore des solutions !

Puis, seulement après, faites l'inventaire, pour chaque solution, de toutes les contraintes VÉRITABLES qui vous empêchent de la choisir. Vous vous apercevrez que, souvent, les soi-disant contraintes ne sont le fait que de points de vue, d'habitudes de vie qui peuvent facilement être transformés. Quand on veut ne rien faire on trouve toujours des prétextes. Quand on veut agir, on trouve toujours un moyen.

Exercice n° 60 : Observation de son comportement

Habitué à l'entraînement à la relaxation, il vous est possible de retrouver cet état à tout moment. Maintenant vous le savez, vous le pouvez. Alors, lorsqu'une colère exagérée vous met « hors de vous-même » et qu'ensuite vous le regrettez, n'hésitez plus : recentrez-vous, par exemple, en portant votre attention sur la respiration. Ou bien, lorsqu'un sentiment de jalousie gâche votre existence ou qu'une rancune tenace vous empêche de vivre pleinement, intériorisez-vous, relaxez-vous et, avec lucidité, ne devenez pas leur esclave.

Grâce à la relaxation, au contraire, développez un sentiment de joie, de liberté, de plénitude.

Q – Relaxation et communication

Il est très paradoxal de constater que, dans notre société où la communication est reine, tant de personnes souffrent de ne pouvoir... communiquer !

Exprimer ses besoins, ses désirs, ses doutes, ses craintes, ses satisfactions, ses désaccords : tout cela doit pouvoir être dit ouvertement à son interlocuteur d'une façon claire, « ici et maintenant », afin que ce que je ressens, ce que je pense, puisse être pris en compte. Cette habitude aplanirait bien des dysfonctionnements, que ce soit dans le milieu professionnel ou familial ou au sein de groupes occasionnels.

Une communication vraie, authentique, cependant, ne peut être réalisée que si elle est le résultat :

- **d'un accord, d'abord avec soi-même**, comme nous en avons parlé au chapitre précédent ;
- **d'un comportement moins stressé** et pour cela, nous pouvons nous donner les moyens de rendre le stress plus positif ;
- **d'une «désinflation» de l'ego** ; le fait, par exemple, de vouloir absolument avoir toujours raison ne peut entraîner qu'un blocage de la communication puisque toute tentative d'argumentation du ou des partenaires s'avère inutile ;
- **d'une aptitude, surtout, à pouvoir être «à l'écoute», à pouvoir accueillir la parole de l'autre afin qu'un véritable dialogue puisse s'instaurer.** Mais le langage verbal n'est pas le seul outil de communication. Le corps participe entièrement à tout échange par l'intermédiaire du geste ou par celui de tous les sens. Or, plus nous sommes relaxés, plus nous sommes aptes à être dans un état de réceptivité propice à tout dialogue sincère, profond et constructif.

Cette relaxation doit être musculaire mais aussi et surtout mentale. En effet, si par exemple je peux voir, c'est parce que les informations captées parviennent bien au mental par l'intermédiaire du système nerveux. Moins nous sommes préoccupés, plus nous sommes disponibles à ce que nous observons. Au contraire, stressés, rien ne nous intéresse, rien n'est «enregistré» car les sens sont alors comme «disjonctés», la «centrale» étant comme paralysée.

Les quatre cinquièmes de tout ce qu'enregistre notre mémoire dépendent de ce que nous voyons, depuis les détails d'un paysage jusqu'aux leçons apprises dans les livres. C'est dire combien notre vue joue un rôle important.

Ce que nous voyons du monde extérieur ne tient pourtant pas plus de place qu'un timbre-poste! Toutes ces images sont en effet projetées sur une sorte de petit écran qui tapisse le fond de l'œil: la rétine. Et là elles sont captées par ces cellules nerveuses spécialisées: les cônes et les bâtonnets. Chaque œil comprend plus de cent millions de bâtonnets et environ sept millions de cônes. Les bâtonnets sont responsables de la vision en noir et blanc sous un faible éclairage et de la perception des mouvements. Les cônes enregistrent les couleurs et les détails précis, mais seulement en pleine lumière. Cônes et bâtonnets traduisent toutes les images qu'ils reçoivent en influx nerveux. Et ces messages sont transmis par le nerf optique au cerveau où ils sont triés, assemblés et interprétés par le centre de la vision. Et c'est ce «montage» opéré par le cerveau qui détermine finalement ce que nous voyons[1].

L'œil «prend donc» continuellement des images pour les transmettre au cerveau par l'intermédiaire du nerf optique. Ces images sont triées, emmagasinées dans la mémoire et susceptibles d'être retrouvées plus tard. Ainsi, la vision ne procède pas uniquement d'un mécanisme de l'œil fonctionnant comme un appareil photographique et projetant sur la rétine – l'écran – une image plate du monde extérieur. La vision, nous le

---

1. *Le corps humain*, Steve Parker (Hachette jeunesse, Paris, 1987).

savons, commence seulement lorsque le cerveau entre en action pour interpréter l'image rétinienne.

Il utilise cette dernière comme une espèce d'échafaudage autour duquel il construit une image mentale, plus complète et plus utile, de la réalité. Il stocke en mémoire d'innombrables données visuelles très précises du monde environnant et les utilise par bribes pour compléter ou expliquer toute image incomplète ou ambiguë fournie par la rétine.

« Sur un champ de bataille, par exemple, un coup d'œil d'une seconde permet au fantassin de photographier sur sa rétine une masse de feuillages d'où sort un objet circulaire. Instantanément, le cerveau du soldat fouille dans ses données et hypothèses acceptables, et élabore en quelques secondes une image mentale représentant un char ennemi bien camouflé dans le feuillage. Le fantassin n'a pas seulement vu avec ses yeux, mais aussi avec son cerveau[1]. »

Ainsi la vision est-elle continuellement sollicitée et il est donc nécessaire d'en entretenir les différents instruments mais aussi de relaxer les muscles, ligaments et nerfs qui les composent.

Exercice n° 61 : Gymnastique des yeux

Les yeux fermés, dessinez, avec le regard, ces différentes figures géométriques. Exercez-vous chaque jour (5 fois chaque dessin) :

une croix +, un huit horizontal ∞, un cercle O (dans un sens et dans l'autre).

---

1. *Merveilles et secrets du corps humain*, *op. cit.*

Exercice n° 62 : Massage des yeux

(Voir également l'exercice n° 32.) Frottez vos mains l'une contre l'autre jusqu'à ce qu'elles soient très chaudes. Placez les paumes sur les paupières closes et effectuez lentement et délicatement un mouvement « glissé » vers les tempes. Effectuez 5 à 6 fois cet auto-massage en chauffant les paumes avant chaque passage.

Exercice n° 63 : Visualisation

Placez également, pour cet exercice, les paumes sur les paupières closes. Puis laissez une couleur bleue envahir votre espace frontal. Bien que certains scientifiques nient que la photophobie, ou thérapie des couleurs, soit une science, le monde publicitaire prend ces couleurs très au sérieux ! Emballages et affiches sont très soigneusement conçus de manière à attirer l'attention et à susciter des réactions !

Et plus de 1 500 hôpitaux et établissements correctionnels aux États-Unis possèdent une chambre calmante rose pour apaiser les troubles du comportement !

Si vous ne pouvez visualiser ces couleurs (bleu ou rose), balayez du regard, pendant une ou deux minutes, une feuille de papier rose ou bleue puis fermez les yeux et essayez de rester imprégné par cette ambiance colorée.

Exercice n° 64 : Décontraction et relaxation

En position allongée ou assis sur une chaise, fermez fortement les yeux et contractez les paupières, les sourcils, le front pendant quelques secondes. Puis décontractez lentement toute cette région (5 à 6 fois cet exercice).

Puis prenez le temps de regarder, même succinctement, une planche d'anatomie afin de voir comment est «fabriqué» un œil. Utilisez ensuite la technique de relaxation décrite au chapitre «C», c'est-à-dire «le cheminement de la conscience». Parcourez ainsi, de l'intérieur, vos yeux (pupille, cornée, rétine..., le nerf optique) et relaxez-les. Aidez-vous, si besoin est, de la respiration et de l'autosuggestion:

- Inspiration, visualisez vos yeux et formulez: «mes yeux sont relaxés».
- Expiration, répétez: «parfaitement relaxés».

Une dizaine de fois cet exercice.

Pour mieux communiquer, la relaxation est d'une extrême efficacité. Afin d'être parfaitement disponible, ouvert, réceptif, exercez-vous, chaque jour si possible, et votre champ de conscience s'ouvrira: une ouverture sur le monde aux autres et une plus grande intériorisation, une écoute de soi plus profonde (pour le sens de l'ouïe et du toucher, voir chapitres correspondants: «Se relaxer grâce à l'écoute», «Se relaxer grâce aux massages», «Se relaxer grâce à la conscience des contacts»).

R – EXEMPLES DE RELAXATION

Vous n'avez ni le temps, ni l'envie, ni les moyens de suivre régulièrement des séances de relaxation. Ou vous souhaitez pratiquer davantage. Demandez à une personne de votre entourage de vous lire le texte suivant, ou, plus simplement, enregistrez-vous. Puis, régulièrement, grâce à ce texte, plongez-vous alors dans un état de relaxation qui vous permettra de vous ressourcer, d'habituer vraiment votre corps et d'harmoniser ainsi toutes vos énergies[1].

Vous vous installez dans une position confortable dans laquelle vous pourrez rester longtemps sans aucune gêne. Mais, auparavant, vous allez effectuer quelques exercices, quelques mouvements qui vont vous permettre de vous libérer de vos tensions. Vous sont également proposées des techniques respiratoires qui vont favoriser la concentration et le calme mental.

Mettez-vous debout, bras le long du tronc. En inspirant, fermez les poings et, bras tendus, montez les épaules vers les oreilles. Poumons pleins, contractez davantage les poings, les bras, les épaules. En expirant, relâchez, détendez les bras, les épaules, les mains.

Répétez encore trois fois cet exercice.

Même principe de travail avec le ventre, les fesses et les jambes. Inspirez, contractez le ventre, en le rentrant, les abdominaux, les fesses et les cuisses. Poumons pleins, contractez davantage ces régions. En expirant, décontractez-les.

Répétez encore deux fois cet exercice.

Maintenant, vous allez contracter et décontracter l'ensemble du corps. Vous contractez toutes les parties du corps déjà décrites précédemment en y ajoutant les pieds, les orteils, les mâchoires, le front, les sourcils, les paupières.

Inspiration, contractez tout le corps. Poumons pleins,

---

1. Si vous avez l'habitude de pratiquer régulièrement une séance de gymnastique ou de yoga, placez cette relaxation à la fin de votre leçon. Vous pouvez également utiliser le CD-Rom *Relaxation* (Éditions de l'A.C.C.).

contractez, contractez au maximum. Expiration, décontractez-vous.

Répétez encore deux fois cet exercice.

Afin de vous décontracter encore plus en profondeur, vous allez masser votre visage. Placez vos doigts au milieu du front et, doucement, régulièrement, massez-le avec le bout des doigts, du milieu du front jusqu'aux tempes, trois ou quatre fois. Procédez de même avec les paupières. Massez-les délicatement. Massez également les sourcils, le tour des yeux, le nez. Arrivé aux joues, imaginez mâcher un gros chewing-gum. Mastiquez-le en ouvrant très grande la bouche, de façon à décontracter vos mâchoires. Surtout ne vous empêchez pas de bâiller. Puis massez aussi sous vos mâchoires, du dessous des oreilles jusqu'au menton. Sentez la chaleur sur votre visage. Vos épaules, vos bras sont décontractés. Pour continuer maintenant cette relaxation, allongez-vous sur le dos ou asseyez-vous sur une chaise.

Premier exercice :

Comme premier exercice, vous allez allier la respiration à la visualisation. Une bonne respiration est capitale pour votre santé, votre équilibre psychique. Fermez les yeux pour vous aider à mieux vous concentrer.

Expirez à fond. Inspirez en gonflant le ventre puis en écartant les côtes et enfin en faisant monter l'air dans le haut de la poitrine. Expirez complètement. Votre respiration est silencieuse, régulière, consciente. En inspirant, visualisez une lumière bleutée entrée dans votre nez en même temps que le souffle. En expirant, cette lumière chaude, bleutée, qui est de l'énergie pure, de la force cosmique, envahit toutes les cellules de vos poumons. De nouveau, vous inspirez, non seulement de l'air, de l'oxygène nécessaire à votre organisme mais aussi toute cette énergie subtile qui anime toute chose dans l'univers et qui vous est absolument indispensable. En inspirant donc, imaginez que cette énergie se fixe sur chacune des cellules de vos poumons. Puis expirez complètement. Répétez encore 5 ou 6 fois cet exercice.

Mais vous pouvez élargir cette fixation de l'énergie à toutes les parties de votre organisme : inspirez en visualisant toujours une lumière bleutée ; expirez en dirigeant cette lumière vers votre pied droit (pause). Inspirez, visualisez une lumière bleutée pénétrant dans notre nez. Expirez en dirigeant cette énergie vers votre cheville droite (pause). Inspirez, visualisez. Expirez/mollet droit (les pauses ainsi que la visualisation ne sont plus indiquées mais vous devez respecter un temps de silence pendant l'inspiration et l'expiration afin d'avoir le temps d'envoyer le flux d'énergie bleutée là où vous souhaitez qu'elle aille). Inspiration (-) Expiration/genou droit (-) Inspiration (-). Expiration/cuisse droite (-) Inspiration (les mots inspiration et expiration ne sont plus indiqués mais lors de votre enregistrement vous pouvez les prononcer) cuisse droite (-) fesse droite - flanc droit - épaule droite - bras droit - coude droit - avant-bras droit - poignet droit - main droite - pied gauche - cheville gauche - mollet gauche - genou gauche - cuisse gauche - fesse gauche - flanc gauche - épaule gauche - bras gauche - coude gauche - avant-bras gauche - poignet gauche - main gauche - le cou - l'arrière de la tête - cheveux, cuir chevelu - menton - lèvres - joues et pommettes - langue, palais, mâchoires - les yeux - les paupières - les sourcils, le front - l'oreille droite - l'oreille gauche - le nez. Visualisez l'ensemble de votre corps ; il est imprégné d'énergie. Sentez en vous cette force de vie. Votre respiration est calme, tranquille.

Deuxième exercice :

Les yeux fermés, vous pouvez observer, dans votre espace frontal, comme une espèce d'écran de cinéma noir, tacheté de petites lumières. Sur cet écran projetez un paysage reposant : plage de sable fin balayée par le va-et-vient des vagues chaudes, régulières. Vous êtes allongé sur cette plage de sable fin. Vous vous laissez envahir par la douce chaleur que vous procurent les rayons d'un soleil magnifique. Votre corps, de plus en plus pesant, forme sur le sable une marque. Vos tensions, vos problèmes s'imprègnent à cet endroit. Puis votre corps se soulève du sol afin de changer de place. Vous êtes alors devenu léger, comme libéré d'un pesant fardeau. Vos épaules sont détendues ainsi que vos pieds, vos mâchoires, votre front, vos paupières, vos yeux. Tout en vous est relaxé.

Troisième exercice :

Vous êtes confortablement installé sur un nuage. À allure lente, il se déplace dans le ciel, vous transportant au-dessus de tous les endroits agréables de la terre que vous avez connus ou que vous aimeriez connaître. Puis il se pose dans l'un de ces endroits que vous appréciez particulièrement ! Enveloppé dans ce nuage, une espèce de chaud cocon, relaxez-vous alors profondément ; vous

devenez aussi léger que ce nuage. Toute la face postérieure de votre corps s'étale, vos tensions disparaissent.

Quatrième exercice :

Vous êtes confortablement allongé sur un tapis.
Doucement, vous quittez le sol. Vous vous dirigez vers
le ciel. Ce ciel est d'un bleu lumineux. Vous continuez
votre ascension et, derrière vous, l'image de la Terre
s'amenuise. Vous entrez maintenant dans l'univers parsemé d'étoiles. Dans ce cosmos silencieux, vous n'avez
plus une seule contrainte. Vous planez, libre de tout
effort d'apesanteur. Vos problèmes, vos soucis sont res-
tés sur terre. Dans cet espace infini, petit à petit vous
vous transformez. À partir de votre centre, votre abdomen, votre corps s'étire dans toutes les directions. Il
devient aussi vaste que l'univers qui vous entoure. Votre
conscience également suit le même élargissement. Vous
continuez de croître et vous devenez la conscience
même de l'univers. Un espace infini vous habite.

Plus de tensions. Vous êtes en paix avec vous-même.
Votre respiration, qui est aussi celle de l'univers, est
calme, tranquille.

Les suggestions que vous allez maintenant proposer à
votre psychisme, pour qu'elles soient efficaces, doivent
être toujours positives, sincères et exprimées très clairement. N'en changez pas non plus tout le temps. Vous
devez également conserver la même formule jusqu'à ce
que le souhait qu'elle représente se réalise dans votre
vie.

Effectuez de nouveau des respirations complètes.
Longue inspiration du nez jusqu'au ventre puis continuez d'inspirer dans les côtes, dans la région sous-cla-

viculaire. Expirez en laissant venir un soupir. Le diaphragme reprend sa position initiale ainsi que les côtes.

Vous allez continuer ces respirations amples et profondes en y ajoutant une formule appropriée :
- en inspirant dites-vous « je suis relaxé(e) »,
- en expirant « tout à fait relaxé(e) » (il suffit bien sûr de vous le répéter mentalement).

Encore au moins une dizaine de respirations accompagnées de ces phrases complémentaires. Pendant cet exercice, parcourez également tout votre corps en le sentant vraiment relaxé.

Quand vous souhaiterez quitter cet état de paix intérieure, il vous suffira de focaliser votre attention sur votre abdomen et de respirer profondément dans cette région. Petit à petit vous prendrez de nouveau conscience des bruits, et vous laisserez venir tous les mouvements qui s'effectueront spontanément : les soupirs, les bâillements, les étirements.

Grâce à cette expérience dorénavant vous garderez en mémoire cette possibilité, que vous avez, à volonté, d'élargir votre champ de conscience, de mettre en place volontairement une sorte de voyage organisé du mental.

Et, de ce voyage à l'intérieur de vous-même, vous revenez ressourcé(e), recentré(e), et donc plus apte à vous confronter aux nécessités de la vie quotidienne.

CHAPITRE IV

Réponses à des questions

*(Ces échanges ont eu lieu après des cours
de relaxation, lors d'actions de formation,
ou lors de conférences traitant de ce sujet.)*

**J'ai pratiqué la relaxation avec un moniteur qui
me demandait de sentir mon bras devenir lourd,
lourd... Mais moi, je le sentais léger ! N'y a-t-il pas,
par la relaxation, encore une autre façon d'être mani-
pulé ou d'être soumis à une sorte de « dictature des
sensations » ?**

La réponse doit être très nuancée. Pour cela, il faut la
traiter en plusieurs points et élargir le débat.

L'art de la pédagogie repose sur plusieurs critères.
Pour réussir à transmettre une discipline et, dans le cas
présent, à faire vivre des exercices, la notion de « public
concerné » est capitale. De plus, il faut être extrêmement
vigilant sur le vocabulaire employé.

On ne présente pas les mêmes exercices à des personnes qui s'initient pour la première fois à une discipline
et à d'autres pour qui certaines bases d'entraînement sont
déjà bien intégrées. Or la relaxation est à la fois un état et

une technique et, comme telle, elle doit être assimilée progressivement. Le deuxième point étant l'importance du vocabulaire employé, et je prendrai justement comme exemple l'induction de sensations.

Je demande à des débutants, dans un premier temps, de porter l'attention sur les différentes parties du corps que je nomme. Lorsque j'ai nommé les différentes parties du corps de tout un côté (voir l'exercice n° 6), je leur demande :

– «comparez le côté droit et le côté gauche», grâce à trois paramètres :

le poids (pause), la longueur (pause), la température (pause).

Ce sont donc les personnes à qui je m'adresse qui sentent si le bras droit est plus léger ou plus lourd que le bras gauche, plus long ou plus court, plus chaud ou moins chaud et non pas moi qui leur dis «votre bras droit est plus lourd» (ou «léger», etc.).

Pourquoi ces précautions ? Tout simplement par respect de LA LIBERTÉ DES SENSATIONS DE CHACUN et, à long terme, pour donner à chaque individu des MOYENS DE DEVENIR AUTONOME. Je place donc les stagiaires dans des situations particulières où ils apprennent à utiliser un outil. L'utilisation de celui-ci pouvant entraîner tel ou tel effet. Mais il ne s'agit pas d'une recherche systématique d'effets, en l'occurrence les sensations de lourdeur, de légèreté...

Par contre, après un certain temps de pratique (différent selon chacun), je propose aux stagiaires d'induire, dans différentes parties de leur corps, à volonté, des sensations de fraîcheur, de lourdeur, de légèreté. Cela dans une optique de DOMESTICATION DES SENSATIONS afin d'en devenir un SPECTATEUR VIGILANT ET LUCIDE. C'est-à-dire que je demande aux stagiaires de rester toujours CONSCIENTS. Il ne s'agit absolument pas d'hypnose (cette technique, employée en thérapie, donnant d'ailleurs d'excellents résultats).

En fait, toutes les techniques de relaxation, le training autogène, la relaxation de Jacobson, la sophrologie, proposent une progression grâce à un entraînement si possible quotidien afin d'accéder, au fur et à mesure de la pratique, à des niveaux (ou des cycles, des étapes) de plus en plus élevés.

Enfin je répondrai à votre question par d'autres questions : ne croyez-vous pas que nous sommes tous des êtres conditionnés ? Si vous en avez conscience, pourquoi alors ne pas se reconditionner, mais d'une façon positive ? N'est-ce pas une recherche capitale que de vouloir être maître de ses propres énergies et ainsi espérer être maître de son destin ?

Après ma première séance de relaxation, j'ai ressenti une incroyable fatigue et, rentrée chez moi, je me suis endormie aussitôt, alors qu'au contraire j'étais venue pour me « recharger »...

Depuis des mois, peut-être des années, vous avez accumulé des tensions et peut-être même un état de fatigue permanent. Mais vous viviez « sur les nerfs », sur vos « réserves ». Vous vous dites, jour après jour, qu'il faut tenir, qu'il « ne faut pas s'écouter ». Peut-être alors, de temps en temps, serrez-vous les poings, ou les dents ? Prenez-vous des vitamines ? Mais un jour ou l'autre on n'en peut plus, on est «à bout», on «craque», on est «au bout du rouleau».

Ou bien vous découvrez la relaxation. (Bien sûr, il n'y a pas de miracle. Quelquefois même le stress, la fatigue sont trop importants et la relaxation seule ne suffit pas. Il faut alors envisager sérieusement une cure ou des stages de remise en forme.)

Que se passe-t-il lors de la première séance de relaxation?

Vous vous laissez aller, peut-être pour la première fois depuis bien des années, et le véritable état de votre être apparaît: c'est un état de fatigue tout à fait naturel et bien des personnes, croyez-moi, n'attendent pas de rentrer chez elles pour s'endormir! Car plonger dans le sommeil est une façon naturelle de récupérer et de nombreuses études ont montré qu'il était indispensable de respecter des heures de sommeil dont chacun avait besoin et surtout de respecter la qualité de son sommeil: se coucher avant minuit; ne pas trop manger, avoir une activité calme le soir (pas de films de violence, par exemple).

Par contre, la relaxation, pratiquée régulièrement, permet un repos et une recharge du système nerveux et des muscles au moment où l'organisme en a besoin. Il n'y a donc pas d'effets d'accumulation et vous n'entrez pas dans le cycle infernal: fatigue... tensions... stress... fatigue... tensions...

Sur un plan pratique, au cours des séances de relaxation que je propose, je répète souvent: «ne vous endormez pas»; ou «restez vigilant», car effectivement certaines personnes s'endormiraient facilement.

Une fois rentré chez soi, surtout après les premières séances, on a l'impression que les forces nous ont abandonné, que l'on est tout mou, «à plat». Mais ce phénomène est momentané et, je le répète, tout à fait normal. Vous avez abandonné les béquilles qui maintenaient artificiellement votre tonus anormalement hyperactif. Ces béquilles enlevées, vous «tombez» littéralement en hypotonicité. Puis, au fur et à mesure des besoins, ou vous retrouvez un tonus normal, c'est-à-dire adapté à la situation, ou vous retrouvez vos anciennes habitudes qui consistent à dépenser beaucoup plus d'énergie qu'il n'est nécessaire pour réaliser une action donnée. La solution consiste donc à pratiquer le plus souvent possible la relaxation et à en appliquer les principes dans tous les actes de la vie quotidienne.

*
* *

À mon âge, j'ai soixante-sept ans, vous pensez qu'il sera possible d'apprendre à me relaxer et que cette technique sera suffisante pour supprimer toutes mes tensions ?

L'un des avantages de la relaxation est qu'elle s'adresse à tout le monde, dès l'âge de quatre ans et demi, grâce à des jeux adaptés jusqu'à... Là il n'y a aucune limite d'âge. Si vous ne pouvez pas vous allonger sur le dos, peu importe car vous avez de nombreuses autres positions à votre disposition.

Deuxièmement, sauf graves problèmes psychiques, et ce n'est pas votre cas, à soixante-dix, quatre-vingts ans, il est tout à fait possible de se concentrer 5 à 10 minutes, le temps de cheminer, grâce à la conscience, à travers tout le corps.

En fait, nous avons une vision assez erronée des personnes dites du troisième âge. J'en ai parlé dans un ouvrage précédent[1] dans lequel j'ai essayé de démontrer que, contrairement à ce que l'on croit, les différentes fonctions peuvent ne pas dégénérer d'une façon systématique et inéluctable. Là encore, il ne s'agit que d'une question d'entraînement.

De plus, on peut dire qu'il existe trois âges : l'âge biologique, l'âge mental et l'âge chronologique.

Sur votre carte d'identité vous avez soixante-sept ans et vous êtes donc née en 1925. Cela est inéluctable et vous ne pourrez rien y changer. Mais qu'en est-il de votre organisme ? Quel âge ont vos artères ? Vos poumons ? Votre cœur ? Avez-vous été vigilante sur votre alimentation ? Avez-vous régulièrement pratiqué une gymnastique d'entretien ou une discipline favorisant le processus respiratoire, la souplesse... ? Vous voyez bien que l'âge biologique peut être modifié à volonté à condition qu'on intègre, à son emploi du temps, une méthode proposant un entraînement psychosomatique.

Quant à l'âge mental il n'est que la conséquence d'une certaine vision du monde, d'un comportement, d'attitudes prises envers les choses, les êtres ou les événements. Un jeune pourra être « vieux » dès ses vingt ans tout simplement parce qu'il aura complètement étouffé son « état du moi enfant », pour reprendre une terminologie chère à l'Analyse Transactionnelle. Rester jeune toute sa vie, c'est possible. C'est d'ailleurs le pari qu'ont tenu (et elles ont largement réussi) les personnes qui ont lancé les Universités du troisième âge : des retraités y prennent des cours, étant inscrits comme étudiants. Ils y suivent des conférences sur des sujets très

---

1. *Yoga et troisième âge.*

variés ; ils participent à des activités physiques et sportives, à la réalisation d'ouvrages ou de mémoires... Bref, ils savent rester jeunes.

Enfin, à soixante-sept ans et bien plus, aucun obstacle ne peut empêcher votre conscience d'aller dans tous les endroits de votre corps et de vous permettre ainsi de vous relaxer. Vous découvrez alors qu'il n'est JAMAIS TROP TARD pour se libérer des tensions accumulées, des habitudes et conditionnements qui entravent la LIBERTÉ D'ÊTRE PLEINEMENT.

« Aujourd'hui, je ne pense plus en termes de jeunesse et de vieillesse. Je sens que les années ont peu à voir avec la façon de penser. Je connais des gars de vingt ans qui en ont réellement quatre-vingt-dix et des hommes de soixante ans qui en ont vingt. Je pense ici en termes de fraîcheur, d'enthousiasme, de manque de conformisme, de stagnation, de pessimisme. » (Citation de A.S. Neill, auteur de *Libres enfants de Summerhill*.)

En sortant de votre cours, je me sens, chez moi, très calme et détendue. Mais cela ne dure pas longtemps. J'essaie alors de me relaxer toute seule mais c'est très difficile. Pensez-vous que je puisse un jour y arriver ?

Rappelez-vous lorsque vous étiez enfant : vous ne vous êtes pas habillée, lavé les dents dès le premier jour de votre naissance ! Vous avez eu besoin de quelqu'un pendant un temps plus ou moins long ; de même pour apprendre à lire, à écrire, à compter. Plus tard, vous avez passé votre permis de conduire. Je suppose qu'aujourd'hui, lors de vos déplacements, votre moniteur d'auto-école ne vous accompagne plus ? (Rires dans l'assistance.)

Il en va de même pour la relaxation. Dans un premier temps, ce n'est pas une voiture que vous allez apprendre à conduire mais vous-même : le volant, c'est votre conscience ; votre mental, le tableau de bord ; le système nerveux, le système électrique ; l'énergie, la batterie ; l'essence, la nourriture que vous prenez... Pour continuer cette comparaison, se relaxer, c'est alors apprendre à mettre un frein à vos activités puisque souvent nous sommes en excès de vitesse ! Et combien de fois ne brûle-t-on pas de nombreux feux rouges : nous n'écoutons pas les signaux d'alarme que nous envoie notre corps (« les feux orange ») et, un jour, nous devons tout arrêter car c'est la maladie (« la panne sèche »). Pourtant notre organisme nous dit tout de suite qu'il y a un dysfonctionnement mais au lieu, sagement, d'effectuer les vérifications ou les réparations nécessaires, nous continuons, aveuglément, jusqu'à... l'accident. Combien de crises cardiaques, de maladies cardio-vasculaires, de dépressions ne sont-elles pas dues à un manque d'écoute de soi ? Des millions de personnes ont, de par le monde, un style de vie complètement aberrant, une hygiène presque malsaine : il serait vraiment ridicule de ne pas mettre le bon carburant ou la bonne huile pour faire tourner le moteur de votre voiture, n'est-ce pas ? Et pourtant nous mangeons et buvons n'importe quoi alors que nous ne pouvons, en aucun cas, changer notre véhicule... corporel !

Ainsi vous apprenez, grâce aux différents exercices, à vous servir de votre corps, à domestiquer ses nombreuses fonctions. Les techniques de respiration, de contraction et décontraction musculaires, de cheminement de la conscience... vont vous permettre de maîtriser progressivement vos gestes et vos pensées, dans une optique d'harmonisation et d'économie d'énergie. Cela grâce à un moniteur.

Puis, dans un deuxième temps, vous allez apprendre à utiliser vous-même les outils proposés : le texte, le rythme, la technique appropriée, le temps de relaxation nécessaire... Ainsi, petit à petit, devenez-vous de plus en plus autonome. Vous pourrez alors vous relaxer à tout moment, en tout lieu. Mais cette liberté ne peut s'acquérir qu'avec de la persévérance.

Dans un troisième temps, peut-être souhaiterez-vous faire partager votre expérience comme je le fais en ce moment... Il vous faudra alors étudier la psychologie, la physiologie, la pédagogie et acquérir une bonne maîtrise des différentes techniques proposées. Lorsqu'il y a vingt ans, je me suis allongé pour la première fois sur un tapis, pour vivre une expérience de relaxation, je ne pensais pas du tout que je pratiquerais, par la suite, quotidiennement, et que je deviendrais moniteur...

Sur vos conseils, je pratique de plus en plus souvent. Mais j'ai l'impression de ne m'occuper que de moi, d'être plus égoïste qu'avant.

Sacha Guitry définissait ainsi un être égoïste : « C'est quelqu'un qui ne pense pas à moi ! » Je rappelle cette boutade pour mettre le doigt sur la difficulté de définir l'égoïsme. On est égoïste quand on ramène tout à soi, toujours. Par contre, il est nécessaire de se recentrer sans pour autant être le centre du monde. Bien au contraire, grâce aux techniques de connaissance de soi, de changement d'état de conscience, nous réalisons que nous ne sommes qu'une toute petite partie d'un immense puzzle. Il suffit cependant qu'un seul morceau du puzzle ne s'ajuste pas bien pour que l'ensemble soit bancal.

En outre, comment voulez-vous être véritablement tourné vers les autres, être à leur écoute si vos propres problèmes ne sont pas résolus, si vous avez en vous de la haine, du mépris, de la jalousie ? Si au contraire vous découvrez que chacun est un joyau unique, vous ne pouvez alors envier ni les qualités ni le bien d'autrui. Et puis n'est-ce pas une preuve d'altruisme que de vouloir se transformer ? Souhaiter améliorer ses relations aux autres, au monde, devenir plus disponible, détendu, afin de créer un climat harmonieux dans son contexte professionnel ou familial.

Nous avons tous besoin à certains moments d'intimité avec soi-même, de se tourner vers soi, de se «centrer». Mais, au contraire, la plupart des gens se fuient eux-mêmes car ils ont peur : peur de ce qu'ils pourraient découvrir en eux, des choses qui ne leur font pas toujours plaisir. Ils se lancent alors dans des activités futiles, ou compensent un manque en achetant n'importe quoi.

Croyez-vous également qu'une personne qui travaille toute la journée, puis fait les courses, s'occupe des enfants (devoirs, bain, repas...), n'ait pas besoin de temps en temps d'un peu de calme, de repos et d'un retour à soi pour se recentrer, se recharger ?

Ce n'est pas de l'égoïsme, ce n'est que du bon sens, une gestion intelligente de ses énergies.

En début de relaxation, j'arrive à bien me concentrer, à suivre les indications que vous donnez. Puis, d'un seul coup, je «décroche», mon esprit s'en va «ailleurs». Bien sûr c'est encore pire quand j'essaie de me relaxer seule. Comment faire pour empêcher ces «divagations»?

Vous devez d'abord bien comprendre le fonctionnement du mental. Pour cela vous imaginez qu'il puisse être représenté par votre bras droit. Votre bras gauche, quant à lui, représentera l'ensemble des mouvements possibles des différentes parties de votre corps.

Si je vous demande de lever à volonté votre bras gauche, de tourner la tête à droite, de tendre la jambe droite, vous n'avez aucun problème et, sauf cas pathologique, c'est ainsi pour la plupart des gens. Sur simple commande vous pouvez ainsi bouger chacun de vos membres ou même plusieurs en même temps.

Maintenant commandez à votre mental de se concentrer, par exemple, sur votre respiration. Pour vous aider, fermez les yeux. Très vite, vous vous apercevez que vous «décrochez», pour reprendre votre propre expression. Concrètement donc, si, comme nous l'avons suggéré, votre mental est représenté par votre bras droit, votre mental fait alors ceci: (mouvements incontrôlés du bras droit dans tous les sens). Et cela se passe comme ça pendant la journée. Vous avez beaucoup de mal à le faire fonctionner selon votre souhait. Par contre, avec de l'entraînement vous pourrez rapidement arriver à ceci (le bras droit se lève et s'abaisse doucement et va dans une direction voulue). Ainsi, de même qu'on peut acquérir une très grand maîtrise corporelle, on peut également obtenir une grande maîtrise du mental. L'intérêt de certaines disciplines étant qu'elles procurent cette double acquisition (en particulier le yoga et les arts martiaux).

Donc, lorsque vous prenez conscience que le mental devient comme «un singe ivre», que vos pensées vous échappent tels «des chevaux indisciplinés», il suffit alors de porter votre attention, de vous concentrer sur un objet précis. Et là, la relaxation est d'un immense intérêt car, en plus des avantages dont je vous ai parlé, les différents exercices proposés développent votre pouvoir de concentration. En effet, si par exemple je vous propose l'exercice du cheminement de la conscience, vous êtes obligé de domestiquer suffisamment votre mental pour qu'il suive mes indications. Avec de l'entraînement vous parviendrez à garder votre mental dans la direction souhaitée.

Une précision, cependant : lorsque des pensées surgissent, ne vous y opposez pas brutalement. Cela créerait une tension contraire au but recherché. Laissez passer ces pensées tels des nuages dans le ciel, ne vous en occupez pas ; continuez tranquillement la visite guidée dans votre corps ou l'observation de votre respiration. Mais surtout ne vous en inquiétez pas : ce phénomène est tout à fait normal même si, avant les séances de relaxation, vous n'en aviez pas pris conscience. Mais, encore une fois, n'essayez surtout pas de lutter de front contre ce phénomène. Agissez directement sur les causes de cette perpétuelle agitation en essayant, par exemple, de déconnecter les nerfs des organes sensitifs. Il s'ensuivra alors, automatiquement, naturellement, le silence intérieur.

Pourquoi les techniques de relaxation, si efficaces, ne sont-elles pas enseignées dans les écoles, incluses dans les programmes scolaires?

« Quoi ! Mes enfants font de la relaxation ! Mais c'est du temps perdu ! Et que fait l'instituteur pendant ce temps-là ? Ils peuvent dormir ou se reposer à la maison ! De la relaxation alors qu'ils ne savent encore ni lire ni écrire !!! »

Voilà le genre de réflexions que l'on peut encore entendre des parents à propos de la relaxation. En effet, pour la plupart des gens, se relaxer équivaut à dormir. Mais c'est surtout, pour eux, UNE PERTE DE TEMPS, et cela leur est insupportable. La plupart des parents ont peur de l'avenir et, dans notre société, le diplôme est roi, bien avant la compétence. Quant à l'équilibre, la paix intérieure, la joie de vivre, nous n'en parlons même pas car ce sont des critères totalement ignorés. Il faut que les enfants réussissent à l'école, c'est-à-dire qu'ils puissent satisfaire aux examens qu'on leur fera passer plus tard. Et pour cela tout le monde, ou presque, est prêt à tous les sacrifices : des rythmes effrénés pour les enfants, le bannissement de la notion de plaisir, l'obligation absolue d'obéissance. On ne cherche pas à former de futurs citoyens, heureux de vivre dans leur travail. On crée le plus souvent des hommes et des femmes qui n'ont qu'une hâte : quitter l'école pour... s'ennuyer dans un métier qu'ils n'ont pas choisi, la plupart du temps ! Personnellement, je crois beaucoup à l'avenir de la relaxation à l'école et cela pour l'avoir expérimentée.

Depuis quelques années, j'interviens comme moniteur en yoga-relaxation dans le cadre de l'Aménagement du

Temps de l'Enfant, c'est-à-dire au sein même de l'école, pendant ses heures de fonctionnement. Mais les exercices sont tous présentés comme des jeux, adaptés à l'âge des enfants, de cinq à treize ans. Il faut faire preuve d'IMAGINATION, c'est-à-dire, en fait, entrer de plain-pied dans l'univers des enfants.

La relaxation leur apporte surtout deux choses :
– un développement de leur schéma corporel,
– une meilleure concentration et, par conséquent, une meilleure faculté d'écoute.

Les relaxations sont courtes (5 à 10 minutes), et tous les autres exercices sont très nombreux et extrêmement variés. Comme pour les adultes, les positions sont nombreuses et le lieu importe peu. La relaxation peut donc être pratiquée dans la classe ou dans la salle de projection vidéo, la bibliothèque...

Trois possibilités s'offrent alors :
– l'école fait venir des intervenants extérieurs spécialisés, ce qui provoque une coupure bénéfique pour les enfants (et les instituteurs, institutrices !) dans leur emploi du temps ;
– des enseignants se forment aux techniques de relaxation dans différents organismes, en suivant des stages ou des week-ends[1] ;
– les I.U.F.M. (Instituts Universitaires de Formation des Maîtres) incluent, dans leur programme, une

---

1. C'est ce que propose l'Association Corps-Communication (A.C.C.) grâce à ses stages «Techniques de bien-être pour les enfants» qui s'adressent à des enseignants, des éducateurs, des professeurs de yoga, souhaitant pouvoir initier les enfants à ces méthodes.

formation à ce genre de pratique, parallèlement à l'E.P.S., la musique, la peinture...

En résumé, la relaxation (comme d'ailleurs bien d'autres méthodes) est une technique extrêmement efficace, simple et accessible à tous. Pratiquée par les enfants dès leur plus jeune âge, elle développe leur autonomie, leur concentration, leur mémoire, leur créativité, leur proprioception et leur confiance en eux-mêmes.

Je ne suis pas à mon aise quand je m'installe sur le dos pour me relaxer. Existe-t-il d'autres positions et quelle est la meilleure ?

La posture la plus efficace pour se relaxer est certainement celle allongée à plat dos. On la retrouve dans pratiquement tous les cours où la relaxation est pratiquée. En effet, dans cette position le tonus est au plus bas.

Cependant, la relaxation doit pouvoir se pratiquer partout et s'adapter à chacun. Ainsi, si vous n'êtes pas à l'aise allongé sur le dos, vous pouvez vous installer dans de nombreuses autres positions. L'important est que vous n'ayez pas froid et que vous puissiez garder la position sans bouger. Plus tard, avec de l'entraînement, vous pourrez vous relaxer n'importe où et à n'importe quel moment, par exemple dans le train, le métro. Certaines personnes parviennent même à se relaxer debout et les yeux ouverts.

Les techniques de relaxation sont-elles récentes ?

Depuis des millénaires, ces techniques sont connues et, par exemple, les textes sanskrits font souvent référence à cet état. Mais à l'époque des Rishis (titre honorifique donné à celui qui est considéré comme sage, c'est-à-dire qui a la vision directe de la réalité) la relaxation n'avait pas le même but que la plupart des méthodes proposées aujourd'hui car le contexte était différent. D'une part, le stress permanent, la crispation musculaire sont typiques de l'ère industrielle, de notre société mécanisée et le besoin de relaxation n'existait pas auparavant. D'autre part, ce type de technique n'était réservé qu'à une élite, à des initiés « triés sur le volet ». Ainsi la relaxation était-elle utilisée dans le but de plonger dans des états de conscience autres que ceux perçus à l'état de veille. Aujourd'hui la relaxation permet « seulement », mais c'est déjà énorme, de bénéficier de tous les avantages dont j'ai parlé précédemment : détente musculaire en dessous du tonus normal, entraînement à la décontraction volontaire, récupération ultra-rapide, sommeil favorisé...

Le principe de la relaxation est donc aussi ancien que la pratique du yoga qui se perd... dans la nuit des temps. Le yoga nidra (conscience sereine dans un sommeil profond et lucide) plonge donc ses racines dans la tradition immémoriale qui, aujourd'hui, peut être accessible au plus grand nombre, à condition que l'adepte soit un chercheur sincère et persévérant...

*
* *

N'est-ce pas jouer à l'apprenti sorcier que d'induire, par exemple dans les suggestions conscientes,

des images ou des pensées dont, au fond, nous ne connaissons pas bien les conséquences ?

Nous vivons, depuis notre plus tendre enfance, dans un environnement fait de mots et d'images qui, que nous le voulions ou non, a forgé une partie de notre personnalité et forme notre subconscient. Or c'est lui qui guide notre vie, est responsable de nos comportements, donne naissance à nos rêves. Cependant, grâce à un « travail sur soi », on arrive à mieux comprendre notre fonctionnement, notre mode de pensée, à analyser l'impact de telle ou telle influence et surtout nous avons la possibilité, à tout instant, de nous transformer. Avoir un mental positif, posséder une grande confiance en soi peut s'acquérir. Il suffit pour cela de s'entraîner. On cite souvent l'exemple d'enfants très timides qui, grâce au judo ou au karaté, sont devenus sûrs d'eux-mêmes et ouverts aux autres. Il en va de même avec certains exercices pratiqués pendant la relaxation : la répétition d'une pensée positive va petit à petit germer sur le terrain du subconscient et finira par éclore au niveau conscient et changer radicalement votre attitude. Les images ont également un fort impact émotionnel et c'est d'ailleurs la base même de l'art cinématographique.

Effectivement, comme vous le faites remarquer, il faudra donc utiliser des répétitions mentales et des images d'une façon intelligente : ne choisir, par exemple, que des affirmations positives et formulées en termes clairs et précis : « je suis en très bonne santé » plutôt que « je ne suis plus malade ». Quant aux images, choisissez celles qui déjà, en l'état de veille ordinaire, vous procurent un sentiment de sérénité, de paix intérieure : un ciel étoilé, une plage ensoleillée, un sommet de montagne enneigé...

En guise de conclusion

Vous venez de finir de lire ce livre. Dans ce guide, j'ai voulu vous faire partager mon expérience de vingt ans de pratique. J'ai souhaité vous donner des explications claires et précises non pas pour faire une démonstration de tous les bienfaits de la relaxation, mais surtout pour vous inciter à PRATIQUER.

Car toute démarche d'ÉVOLUTION PERSONNELLE ne peut s'accomplir pleinement que grâce à une EXPÉRIMENTATION. Certes, un moniteur qualifié ou un ouvrage tel que celui-ci peuvent vous aider dans ce cheminement. Mais c'est VOUS ET VOUS SEUL qui êtes et devez rester l'ACTEUR de cette EXPLORATION INTÉRIEURE.

ENTRAÎNEZ-VOUS. PRATIQUEZ, pratiquez, pratiquez encore et toujours. Et LAISSEZ AGIR. D'acteur devenez alors, en même temps, le SPECTATEUR LUCIDE et CONSCIENT de cette véritable ALCHIMIE INTÉRIEURE qui vous transformera profondément.

Tout est possible

À ton réveil chaque matin
Dis-toi que tout est possible.
Ouvre grandes tes mains
Pour toucher ce qui te paraît être l'invisible.
Perçois tous les premiers bruits de la vie
Comme un véritable hymne à la joie.
De quoi as-tu peur ? As-tu donc tant d'ennemis ?
Agis, fais ce que tu dois.
La Voie Royale est pour chacun
Tout de suite, à cet instant.
C'est ici, maintenant, et non pas demain
Que tu peux marcher comme un géant.

Jacques Choque – Saint-Pair-sur-Mer

Désirs

« Allez tranquillement parmi le vacarme et la hâte, et souvenez-vous de la paix qui peut exister dans le silence. Sans aliénation, vivez autant que possible en bons termes avec toutes personnes. Dites doucement et clairement votre vérité ; et écoutez les autres, même le simple d'esprit et l'ignorant ; ils ont eux aussi leur histoire. Évitez les individus bruyants et agressifs, ils sont

une vexation pour l'esprit. Ne vous comparez avec per-
sonne : vous risquerez de devenir vain ou vaniteux.

    Il y a toujours plus grands et plus petits que vous.
Jouissez de vos projets aussi bien que de vos accomplis-
sements. Soyez toujours intéressés à votre carrière, si
modeste soit-elle. Soyez prudent dans vos affaires ; car
le monde est plein de fourberies. Mais ne soyez pas
aveugle en ce qui concerne la vertu qui existe ; plusieurs
individus recherchent les grands idéaux ; et partout la
vie est remplie d'héroïsme. Soyez vous-même. Surtout
n'affectez pas l'amitié.

    Non plus ne soyez cynique en amour, car il est, en
face de toute stérilité et de tout désenchantement, aussi
éternel que l'herbe. Prenez avec bonté le conseil des
années, en renonçant avec grâce à votre jeunesse.
Fortifiez une puissance d'esprit pour vous protéger en
cas de malheur soudain. Mais ne vous chagrinez pas
avec vos chimères. De nombreuses peurs naissent de la
fatigue et de la solitude. Au-delà d'une discipline saine,
soyez doux avec vous-même.

    Vous êtes un enfant de l'univers, pas moins que les
arbres et les étoiles ; vous avez le droit d'être ici. Et, qu'il
vous soit clair ou non, l'univers se déroule sans doute
comme il le devrait. Soyez en paix avec Dieu, quelle que
soit votre conception de lui, et quels que soient vos tra-
vaux et vos rêves, gardez, dans le désarroi bruyant de la
vie, la paix dans votre âme. Avec toutes ses perfidies, ses
besognes fastidieuses et ses rêves brisés, le monde est
pourtant beau. Prenez attention. Tâchez d'être heureux. »

(Trouvé dans une vieille église de Baltimore en 1692.)
Auteur inconnu

Bibliographie

ABRASSART Jean-Louis :
Le do-in, Éd. Ellébore, Paris.

ALEXANDER Gerda :
Le corps retrouvé par l'eutonie, Éd. Tchou, Paris, 1980.

BROSSE Thérèse :
La conscience énergie, Éd. Présence.

CHOQUE Jacques :
- *Yoga, manuel pratique*, Éditions Amphora.
- *Animations pour les personnes âgées*, Éditions Lamarre.
- *Gymnastique douce pour les seniors*, Éditions Lamarre.
- *Massages pour les bébés et pour les enfants*, Éditions Albin Michel.
- *Étirement et renforcement musculaire*, Éditions Amphora.
- *Gym et jeux d'éveil pour les 2-6 ans*, Éditions Amphora.

- *Guide du Fitness (step, lia, hi-low)*, Éditions Amphora.
- *Testez et améliorez votre condition physique*, Éditions Amphora.
- *Gym et bien-être de la femme enceinte*, Éditions Amphora.
- *Gym douce pour les personnes handicapées*, Éditions Amphora.
- *Yoga et troisième âge*, Éditions Albin Michel.
- *Yoga pour futures mamans*, Éditions Albin Michel.
- *Sports et yoga*, Albin Michel.
- *Relaxation et concentration pour les enfants*, Éditions Albin Michel.
- *Stress, apprendre à le gérer*, Éditions Albin Michel.
- *La méditation pour tous,* Éditions Grancher.
- *300 exercices d'expression corporelle, mime, théâtre*, Éditions de la Traverse.
- *Yoga et expression corporelle pour le enfants*, Éditions Albin Michel.
- *Stretching et yoga pour les enfants*, Éditions Amphora.
- DVD *Gym facile à domicile*, Éditions Ellébore.
- CD-Rom *Relaxation*, Éditions de l'A.C.C.
- CD-Rom *Yoga pour les enfants*, Éditions de l'A.C.C.
- CD-Rom *Méditation*, Éditions de l'A.C.C.

DESHIMARU Taisen :
La pratique du zen, Éd. Albin Michel, Paris.

JACOBSON Edmond :
Savoir relaxer pour combattre le stress, Éd. de l'Homme, Montréal, 1980.

JOST Jacques :
  Équilibre et santé par la musicothérapie, Éd. Albin Michel, Paris.

KOU James :
  Tai-chi-chuan, Éd. F.F.T.C.C., Paris.

MONTAGU Ashley :
  La peau et le toucher, Éd. du Seuil, Paris.

ROY M. :
  De la relaxation au stretching, Éd. Ellébore, Paris.

SATYANANDA Swami :
  Yoga nidra, Éd. Satyanandashram, Paris, 1980.

SCHULTZ J.H. :
  Le training autogène, P.U.F., Paris, 1977.

WERBER Bernard :
  Le jour des fourmis (roman), Éd. Albin Michel, Paris.

Table des matières

Cet ouvrage a été composé par
PCA – 44400 REZÉ

Impression réalisée sur Presse Offset par

C P I
Brodard & Taupin

48511 – La Flèche (Sarthe), le 31-07-2008
Dépôt légal : mars 2008

POCKET – 12, avenue d'Italie - 75627 Paris cedex 13

Imprimé en France